통증감소와 기능증진을 위한
연부조직 이완 기법

옮긴이 권오윤, 전혜선

Soft Tissue Release Handbook : Reducing Pain and improving Performance

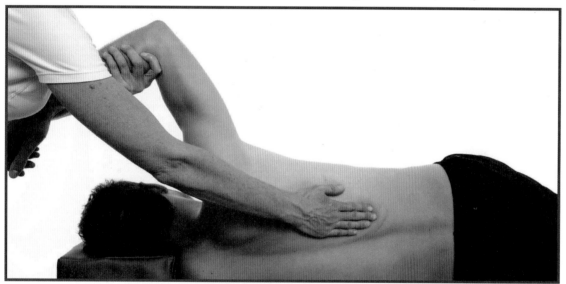

Mary Sanderson and Jim Odell

군자출판사

통증감소와 기능증진을 위한
연부조직 이완기법
The Soft Tissue Release Handbook:
Reducing Pain and Improving Performance

첫째판 1쇄 인쇄 | 2015년 6월 15일
첫째판 1쇄 발행 | 2015년 6월 25일

지 은 이 Mary Sanderson, Jim Odell
옮 긴 이 권오윤, 전혜선
발 행 인 장주연
출 판 기 획 김봉환
편집디자인 박은정
표지디자인 전선아
발 행 처 군자출판사
　　　　　등록 제 4-139호(1991. 6. 24)
　　　　　본사 (110-717) 서울특별시 종로구 창경궁로 117(인의동 112-1) 동원회관 빌딩 6층
　　　　　전화 (02) 762-9194/5　팩스 (02) 764-0209
　　　　　홈페이지 | www.koonja.co.kr

Original Edition Copyright ⓒ 2012 by Mary Sanderson, Jim Odell.
The Soft Tissue Release Handbook: Reducing Pain and Improving Performance /
Lotus Publishing & North Atlantic Books
Korean Translation Copyright ⓒ 2015 통증감소와 기능증진을 위한 연부조직 이완기법 / 군자출판사
본서는 Lotus Publishing & North Atlantic Books와의 계약에 의해 군자출판사에서 발행합니다.
본서의 내용 일부 혹은 전부를 무단으로 복제하는 것은 법으로 금지되어 있습니다.
www.koonja.co.kr

* 파본은 교환하여 드립니다.
* 검인은 저자와의 합의 하에 생략합니다.

ISBN 978-89-6278-984-3

정가 35,000원

역자 소개

██▍▍ 권오윤

연세대학교 보건환경대학원 인간공학치료학 전공 교수

██▍▍ 전혜선

연세대학교 보건과학대학 물리치료학과 교수

역자 서문

움직임은 생존에 필수적인 요소이며, 인체의 움직임이 없다면 인간의 생존이 불가능하다. 그러나 잘못된 패턴의 움직임이 반복된다면 지속적인 운동손상, 자세이상, 근골격계 통증, 수행능력의 저하, 장애, 등의 다양한 문제들을 유발된다. 올바른 신체의 기능과 구조를 유지하면서 일상생활을 지속하는 것은 건강의 필수적 선행조건이다. 인체의 움직임에 기여하는 요소로는 근육, 골격, 신경, 심혈관, 호흡, 대사 시스템이 있으며, 이 시스템들이 정상적으로 상호작용을 해야 건강한 신체를 유지할 수 있다.

특히 근육들이 성상적으로 운동성과 안정성, 힘을 제공해 주어야 올바른 운동이 발생한다. 근육 시스템은 근육조직과 근육조직을 둘러쌓고 있는 근막으로 이루어져 있다. 이러한 근육과 근막들은 우리 몸을 사슬처럼 연결하면서 운동성과 안정성을 제공해 주고 있다. 따라서 근육과 근막의 단축이나 비정상적인 근 긴장의 증가에 의해 자세 불균형, 통증, 기능 저하가 발생되며, 특히 운동성이 감소된다. 운동성 감소는 주변 근육 또는 대항근의 근 수행능력까지 현저하게 감소시킨다.

이러한 근육, 근막, 연부조직의 단축과 긴장을 감소시키기 위해 근육 스트레칭(stretching), 근막이완술(myofascial release), 근육에너지 기법(muscle energy techniques), 마사지 등의 여러 가지 치료방법 들이 사용되어왔다. 각각의 치료법들은 모두 각기 다른 장단점을 가지고 있다. 이번에 역자가 번역한 '연부조직 이완기법(soft tissue release)'은 근육과 근막을 이완시키는데 유용한 기법으로 임상, 스포츠 현장에서 간단하고 효과적으로 연부조직을 이완시키기 위해 적용할 수 있는 치료기법에 대해 다루고 있다. 역자 역시 많은 근골격계 통증 환자들 중 근육, 근막, 연부조직에 단축이 있는 환자에게 이 방법을 자주 사용하고 있고, 통증 감소와 기능 증진에 효과가 매우 좋다는 것을 경험 하였다. 이 책은 신체 각 부위별로 정상 운동 메카니즘, 연부조직 제한으로 발생하는 해당 부위의 특징적 문제들, 통증 없는 정상 운동을 회복시키기 위한 연부조직 이완기법에 대해 기술하였다. 특히, 각 근육 별 이완 기법의 이해와 적용을 돕기 위한 상세한 그림들이 함께 제시되어 비교적 쉽게 새로운 치료 기법을 익힐 수 있도록 구성되어 있다. 따라서 이 책은 고객들의 통증 감소나 기능 증진을 위해 임상에서 근무하는 물리치료사, 마사지사, 카이로프랙터, 운동 트레이너, 요가 전문가들에게 큰 도움을 줄 것이다.

번역은 가능한 원문에 충실하면서 한글식 문장이 되도록 노력하였다. 의학용어의 번역상 문제를 해결하고 구용어와 신용어간에 소통을 위해서 영어를 같이 수록하였다. 연부조직 이완술을 저술하여 독자들에게 유익한 정보를 제공해 주신 이 책의 저자 Mary Sanderson과 Jim Odell 에게 감사드리며, 끝으로 번역과 교정 작업을 도와준 연세대학교 물리치료학과 대학원 원생들에게 고마움을 전한다. 원저의 의미를 최대한 전달하기 위해 노력했으나 번역의 오류나 누락이 발견된다면 역자들의 메일로 의견을 주시면 추후 개편 시 반영하여 독자들에게 도움이 되도록 노력하겠다.

2015. 6

목 차

서 론

연부조직 이완법(Soft tissue release: STR)은 빠르게 대중화 되어가는 마사지 기술 중 하나로 다양한 분야의 임상가들이 이 치료기술의 장점에 대해 인식하게 되었다. 이 교재는 수 년간 학생들을 교육하고 환자들에게 적용해 온 경험 및 학생과 환자들로부터 받은 긍정적인 피드백을 근거로 쓰여졌다.

여러 사례연구들은 STR이 어깨충돌증후군(shoulder impingement), 엉덩정강근막띠 마찰 증후군(iliotibial band friction syndrome), 가쪽위관절융기염(lateral epicondylitis)과 같은 여러 흔한 만성 질환의 호전에 효과적임을 보였다. 경험이 풍부한 임상가들은 연부조직을 적절하게 이완시키는 것이 관절의 움직임을 향상시키기 때문에 기술적 STR의 사용이 조정(adjustments)이나 관절 가동술(joint mobilisations)의 필요를 줄인다는 것을 알아냈다. 관절을 자유롭게 하고 연부조직의 상태를 향상시키는 것은 재활프로그램의 효과를 높이고 그 효과가 더 오래 지속되도록 한다.

이 책은 기존의 연부조직 치료기술이나 치료 방법(modality)에 부가적으로 STR을 적용하기를 원하거나, 아니면 그 자체로서 하나의 독립적 연부조직 치료방법으로 활용하고자 하는 사람들을 위해 쓰여졌다.

이 책은 아래와 같은 내용을 다루고 있다:
- 특정 신체 부위들의 정상적인 움직임에 대한 기술
- 연부조직제한으로 인해 발생하는 문제점들에 대한 토론
- 통증 없는 정상적인 동작을 회복하기 위해 어떻게 STR 을 적용하는지에 대한 시연(demonstration)

동작의 제한과 통증에 있어서 연부조직의 역할

연부조직은 근육섬유, 근막, 힘줄, 인대 등으로 구성되어있다. 근섬유, 근섬유 다발, 각 근육의 근복(muscle belly)은 근육속막(endomysium), 근육 다발막(perimysium), 근육바깥막(epimysium)이라고도 불리는 근막(fascia)에 의해 싸여있다. 근육으로부터 연장된 근막은 힘줄(tendon)을 이루고, 힘줄은 뼈의 골막(periosteum)조직 내로 섞여 들어가 뼈와 강하게 결합된다.

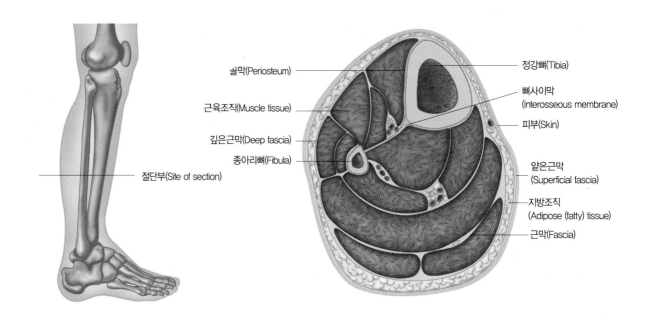

골막(Periosteum)
근육조직(Muscle tissue)
깊은근막(Deep fascia)
종아리뼈(Fibula)
절단부(Site of section)
정강뼈(Tibia)
뼈사이막(Interosseous membrane)
피부(Skin)
얕은근막(Superficial fascia)
지방조직(Adipose (fatty) tissue)
근막(Fascia)

그림 1　뼈대근육의 단면

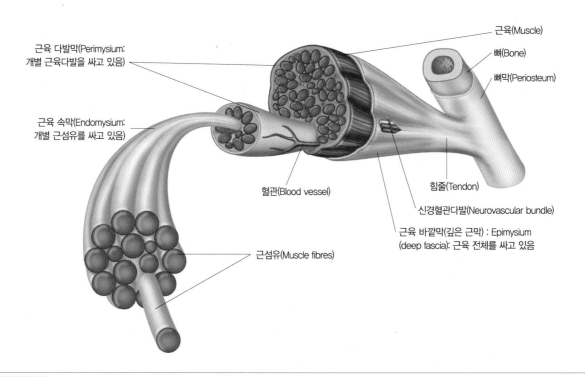

근육 다발막(Perimysium: 개별 근육다발을 싸고 있음)
근육 속막(Endomysium: 개별 근섬유를 싸고 있음)
근섬유(Muscle fibres)
혈관(Blood vessel)
근육(Muscle)
뼈(Bone)
뼈막(Periosteum)
힘줄(Tendon)
신경혈관다발(Neurovascular bundle)
근육 바깥막(깊은 근막) : Epimysium (deep fascia): 근육 전체를 싸고 있음

그림 2　근육과 근막의 층 구조

오랜 경험을 가진 임상가들은 만성 손상이 있는 부위에서 근섬유를 싸고 지지하는 조직인 근막의 특성에 대해 더욱 관심을 가지게 된다. 연부조직에 대한 지식이 늘어갈수록 각각의 연부 조직 구조들을 분리하려는 시도가 얼마나 부적절한 생각이며, 근막을 그 내부에 근육들이 촘촘히 들어찬 특별한 형태의 연부조직으로 보는 것이 얼마나 중요한지 깨닫게 된다. 연부조직의 치료는 계속적으로 더 많은 관심을 얻고 있고, 연부조직에 숙련된 도수치료(skilled manipulation)를 적용하는 것이 근골격계의 구조와 기능에 얼마나 막대한 영향을 끼치는 지에 대한 많은 흥미로운 연구들이 발표되었다.

연부조직 손상의 기전(Mechanism of Soft Tissue Injury)

치유과정(repair process)은 조직 파열 후 20분 이내에 염증반응으로 시작된다. 근육 손상은 근육섬유뿐 아니라 주변 결합조직까지 모두 파열되는 전단(shearing)손상의 형태일 수도 있고, 단지 근섬유들만 손상을 당한 정도일 수도 있다. 염증 반응은 치유가 진행되는 상처를 감염으로부터 보호하여 회복 과정이 시작되도록 하기 위해 꼭 필요한 긍정적 과정이다. 치유과정 동안 찢어진 부위가 서로 다시 붙는 과정(gluing together)이 시작된다: 혈전(blood clot)과 국소 세포들이 서로 연합되고, 그물섬유(reticular fiber)위에 콜라겐 섬유들이 가로세로로 교차되어 배열된다. 그러나 이렇게 이루어진 결합(adhesion)은 강도가 충분하지 않아 쉽게 다시 파열될 수 있다.

염증이 안정됨에 따라, 약 2일 후(파열의 정도에 따라 다르지만), 섬유모세포(fibroblast)의 활동이 시작된다. 파열된 부위를 결합과 상처 치유를 위해 유입된 섬유모세포는 콜라겐 섬유를 생성하는데, 손상부위에 가해지는 스트레스의 방향과 나란히 콜라겐 섬유가 배열된다. 또한 재생되는 조직에 산소를 공급하기 위해 꼭 필요한 새로운 모세혈관이 손상 받지 않은 주변 혈관으로부터 자라 들어간다. 근육내 신경(intramuscular nerves)의 재생도 일어난다. 재생이 진행되는 신경축삭(axons)들이 신경근접합(Neuromuscular junctions)에 합류된다. 콜라겐은 계속 만들어 지기만 하는 것이 아니라 재생된 조직의 성숙(maturation), 상흔(scar)조직의 축소와 재흡수를 위한 콜라겐의 리모델링과정에서 분해되기도 한다. 근육조직 내에서 근육섬유의 괴사에 의해 근육위성세포(satellite cells)가 활성화 되고 증식해서 근육대롱세포(myotubes)를 이루고, 근육대롱세포는 다시 근섬유로 발달한다. 최적의 치유를 위해 새로운 조직의 재생과 상흔조직 형성(scar formation) 사이에 적절한 균형이 필수적이다.

인대조직의 파열은 삠(또는 염좌, sprain)이라고 부르고, 근육조직의 파열은 '과도긴장(strains)', '타박상(contusions)' 또는 '찢김(lacerations)' 등으로 불린다. 임상가들은 종종 근육손상의 정도와 파열된 근섬유의 수에 따라 근육손상의 등급을 판단한다. 완전 파열(complete rupture)은 수술적 복구를 요한다. 근육의 전단손상(Shearing muscle injuries)은 심한 출혈, 즉 근막 내에 피가 고이는 근육내 혈종(intramuscular haematoma)을 일으킨다. 근육간 혈종(intermuscular haematoma)은 근막이 파열되어 근육 사이를 타고 혈액이 퍼진 상태를 의미한다.

대부분의 연부조직 손상에서 여러 다른 종류의 결합조직 섬유들이 파열되는데, 어떤 경우이든 조기 운동성(early mobility)이 매우 중요하다.

고정(Immobilization)의 영향

육아조직 형성을 위해서 초기고정(initial period of immobilization)은 불가피하다. 그러나 고정 기간은 손상의 정도에 따라 달라지며, 가능한 고정 기간은 최소로 하는 것이 바람직하다. 조기 움직임은 상흔조직을 움직이도록 해준다. 재생과정이 진행되는 동안 섬유조직들이 움직이는 것이 중요한데, 생성된 콜라겐이 가해지는 스트레스의 방향과 평행하게 배열되는 것을 돕고, 결합조직 섬유들을 매끄럽게 하고 모세혈관의 재형성을 촉진시킨다.

만일 동적인(active) 회복과정이 뒤따르지 않는다면, 조직의 강도와 기능이 저하될 것이다: 콜라겐이 방향성 없이 무작위로 배열되기 때문에 콜라겐 조직 내의 교차되어 엉킨(cross-link) 부위에서는 조직의 가동성이 감소하게 된다. 근원섬유마디(sarcomere) 수의 감소와 결합조직이 두꺼워짐(thickening)과 함께 근육은 짧아지는 경향을 보이게 되는데, 짧아진 근육은 해당 관절의 가동범위(ROM)을 감소시킨다. 힘줄은 위축되고 힘줄 내 결합조직과 힘줄집(tendon sheath)이 두껍고 단단해져서 힘줄의 활주를 방해하게 된다; 점차 수축하는 근육의 힘을 전달하는데 필요한 힘줄의 강도가 감소하고, 나아가 염증 상태에 이르게 된다. 인대는 느슨해져(lax) 움직임을 수행하는 동안 관절의 안정을 유지해야 하는 인대 본연의 기능에 장애가 생기게 된다.

손상과 함께 결합조직은 두꺼워지고 단단해지는데, 이로 인해 근섬유가 효율적으로 움직이는 것이 방해 받고, 기능은 저하된다. 경직된 결합조직은 신경, 림프, 혈관 조직의 경로(pathway)에까지 여향을 미쳐, 신체의 면역과 순환기능뿐 아니라 신경의 근육조절 작용에 까지 영향을 미친다. 깊고 얕은 근막에서 제한과 유착이 일어날 수 있는데, 근육 내부, 근육힘줄연결부(musculotendinous junction), 힘줄집 내부, 뼈막, 근복의 시이, 근육 경계(border)사이 등 다양한 곳에서 발생할 수 있다.

위에 언급한 변화들과 더불어, 많은 연구들은 고정이 근육 양(muscle mass)과 근력의 급속한 감소를 야기시킬 뿐 아니라, 연골과 뼈 조직에도 부정적인 변화를 야기하여 치유를 방해하고 앞으로 문제를 가중시킨다고 보고하였다.

짧아진 근육 조직은 관절 ROM 을 감소시킨다.

많은 경우 동작 제한은 근육의 짧아짐의 직접적인 결과인데, 일차적으로 근막(myofascia)이 두꺼워짐으로 인해 생긴다. 원래 근육 조직은 충분한 혈관공급을 받으므로 잘 치유된다. 염증 단계에서 세포 잔해(debris)들이 제거되고, 대개 손상 후 3주 이내에 근육의 재생이 종결된다. 근육내 결합조직 내의 유착과 근육분절 수의 감소로 인해 근육이 적절한 길이를 유지하지 못하게 된다.

짧아진 근육 조직의 길이를 늘리고 조직가동술(tissue manipulation)을 통해 상태를 호전시키는 것이 중요하지만, 움직임이 호전과 통증 없는 움직임(pain-free movement)을 유지하기 위해서는 관련 근육들의 협응과 근력을 함께 고려해야만 한다. 무엇이 먼저 인지 밝히는 것이 쉽지 않지만, 연부조직의 문제들은 관절의 움직임의 변화를 초래하고, 관절움직임의 변화는 거꾸로 연부조직의 손상을 유발시킨다.

억제된 근육(Inhibited Muscles)의 강화

고정되어 있는 동안, 근육활동이 감소하므로 근육들은 점차 약해진다. 뚜렷한 근육 감소가 있다면(넙다리곧은근과 같은 근육들은 다른 근육에 비해 더 빨리 근육 감소(muscle wasting)가 진행됨) 근력과 운동조절 능력을 완전히 회복하기 위해 점진적인 운동이 요구된다.

오랜 시간에 걸쳐 점차적으로 통증과 비정상적인 운동패턴이 진행되는 과사용 손상(overuse injury)의 경우라면, 억제된 근육(inhibited muscle)들을 조심스럽게 강화시켜야 한다. 완전한 기능회복을 위해 적절한 운동처방이 필요한데, 동작

패턴 조절의 개선과 특정 근육의 강화를 동시에 달성하려는 목적으로 고안된 필라테스나 Feldenkrais 법와 같은 다양한 운동 방법들이 있다. 컨디셔닝(conditioning)은 점진적으로 진행해야 한다.

근력강화 프로그램에 앞서, 또는 근력강화 프로그램과 함께 뭉쳐진 조직을 풀어주는 것은 그 조직의 손상 전 상태로의 회복과 기능의 최대화를 위해 꼭 필요하다. 실제로 단단해진 연관 조직들이 먼저 이완된다면, 억제된 근육의 개선이 보다 수월해진다. 예를 들어 만약 등쪽에 위치한 근육들이 짧아지고 근막조직들이 유착되어 있다면, 원하는 만큼 섬세한 수준으로 복부중심 근육들을 정확하게 훈련하는 것이 매우 어려울 것이다; 아마도 고유감각이 저하되어있어서 원하는 운동이 정확하게 수행될 수 없을 지도 모른다. 연관된 보호적 근육 경련(associated protective muscle spasm)이 있는 급성기 손상은 근력강화에 앞서 연부조직을 이완시키는 것이 바람직하지 않은 유일한 상황인데, 이 경우에는 근육 이완(muscle release)이나 근력 강화운동 이전에 안정(rest)과 점진적 움직임(progress mobility)이 필요하다.

대부분의 힘줄 병변(tendinopathies)들은 약화와 조직의 만성 염증 상태를 동반한다. 치유를 위해서 통증유발 동작을 피하는 휴식, 냉찜질, 그리고 적절한 강도의 강화운동이 선행되어야 한다. 그러나 조직 이완 없이 완전한 기능 회복은 이루어질 수 없다. 컨디셔닝 효과를 극대화 하기 위해서는 근막에 치료를 적용하여(근육과 힘줄의 시작 부위로부터) 뭉쳐진 조직을 풀어주고 힘줄집(건초)이 제한되지 않도록 하는 것이 필수적이다. 조직 뭉침이 전신에 미치는 영향, 근육균형, 근력과 ROM 은 치료과정 동안 반드시 고려되어야 할 부분이다.

과도한 사용으로 인한 손상(반복적 근육 좌상)

알아채지 못할 정도로 미세한 연부조직 파열이 일어날 수도 있다. 그러나 미세한 손상의 경우에도(심한 손상의 경우와 동일한) 재생과 리모델링 이라는 조직 반응기전을 거쳐야 하므로 완전한 기능회복을 방해하는 장애가 발생할 가능성이 존재한다. 예를 들어 치유과정 동안 상흔 조직이 완전하게 재흡수 되지 않거나, 재생된 조직이 다소 약하고 운동이 부족(less mobile)하다면 손상 받은 근육뿐 아니라 협력근과 길항근의 전반적 기능에 까지 영향을 미치게 된다. 국소부위의 미묘한 기능변화가 오랫동안 지속되면 더 넓은 부위에 영향을 줄 수도 있다. 근육 경계 사이의 유착, 근육의 짧아짐, 근육활동의 억제, 근막의 탈수(dehydrated)와 뻣뻣함 등의 요인들은 외상성 손상의 발생위험을 높인다.

신체적 운동, 가동성(mobility), 신장(stretching) 등은 건강을 위해 중요하며, 근섬유에 미세한 손상을 가하는 것(micro-traumatise to muscle fibres)은 근섬유의 재생과 강화를 위해 불가피하다: 이를 훈련효과(training effect)라고 부른다. 균형적인 훈련(training)과 회복(repair)은 근육조직 내 재생된 모세혈관형성을 증가시키고, 특정 스포츠나 활동에 필요한 신경-근육 경로(neuromuscular pathway)가 형성되도록 돕는다. 그러나 특정 스포츠의 경기력 향상을 위한 반복적 훈련은 과도한 사용으로 인한 통증을 일으킬 수 도 있다. 육상, 수영, 싸이클링 등의 거리를 늘리기 위한 집중 훈련, 바벨이나 운동기구를 이용한 반복적 근육훈련(pumping iron in the gym), 오랜 시간 동안 라켓으로 테니스 공을 치는 반복적인 동작 등은 불가피하게 연부조직의 파열을 야기하는데, 이런 손상의 경우 통증이나 이로 발생된 문제들이 심각해질 때까지 본인이 인식하지 못하는 경우가 많다. 운동선수들은 국소 조직의 변화가 수개월 또는 수년 전부터 시작되어 조금씩 진행되어왔기 때문에 자신이 현재 최대 잠재력 수준까지 기능을 발휘하지 못하고 있다는 사실 조차 인식하지 못한 채 지내는 경우가 많다. 보행 시 보장(stride length)의 감소, 비효율적 발의 착지, 척추뼈의 운동성의 감소 등이 이런 경우인데, 이런 요인들에 의해 기능이 저하될 뿐 아니라 운동 중 손상의 빈도 또한 높아진다.

게다가, 스포츠 손상의 원인이 매일매일 수행하는 일상활동의 결과인 경우도 많은 것 같다. 실제로 반복되는 일상 활동에 의해 발생한 근육의 뻣뻣함(stiffness)이 격한 운동을 하는 동안 일어난 손상의 근본 원인으로 작용할 수도 있다. 예를 들면 사무직이나 운전과 같은 많은 직업들이 반복적이지만 정적인 자세를 필요로 한다. 장시간 컴퓨터에 앉아서 일하는 것은 머리와 어깨(특히 마우스를 사용하는 쪽)를 앞으로 내미는 자세가 생기도록 한다. 건설현장 등의 역동적인 직업들 (Dynamic jobs)도 자신의 주요 업무에 따라 무거운 것 들기, 반복적으로 굽히기, 사다리 오르내리기 등과 같은 동작들을 요구한다. 너무 무거운 물건을 나르는 때와 같이 불균형적인 자세(unbalanced positions)를 취해야 한다면 이런 작업들은 더 열악한 조건이 될 수 있다. 대치동작(Compensation)이 일어나고 결국 관절 주변 근육의 불균형을 초래한다. 의자에 구부정하게 앉거나, 몸이 비틀린 자세에서 TV 화면을 보거나, 한쪽 다리에 더 많은 체중을 실어 짝 다리로 서는 등 일상에서의 자세 습관에 주의해야 한다. 모든 경우의 과사용 손상(overuse injury)에 있어서 통증을 유발한 최초 원인을 구별해내는 것은 단순하지 않다. 환자의 증상을 치료하는 것뿐 아니라 조직기능 장애의 원인이 어디에 있는지 파악하여 신장과 강화를 위한 적절한 조언을 제공해야 하며, 환자의 직업에 따라 요구되는 자세의 특성을 고려하고 스포츠 선수의 경우라면 트레이너나 코치와 협조하는 것이 필요하다.

표 1 과사용 손상의 예방을 위한 고려 사항

장비/도구 (Equipment)	활동 (Activity)	휴식 (Rest)	생체역학 (Biomechanics)	과거 영향 (Past influences)
• 해당 스포츠나 작업을 위해 사용되는 장비확인 예: 라켓의 무게, 쥐는 방법, 지렛대(leverage) • 필요한 장비가 적절하게 준비(구성)되었는지 예: 자전거 • 신발 • 지면특성: 코트, 도로, 트랙, 지형 (terrain) • 보호의류(protective clothing) • 사무실과 집: 의자/책상의 위치와 높이, TV 스크린, 모니터. 마우스 • 자동차: 의자 • 수면: 침대, 베게	• 스포츠의 특성에 맞는 준비운동 (warm-up) • 올바른 훈련: 해당 스포츠에 특성에 맞는 컨디셔닝과 테크닉적인 측면 • 전반적 피트니스 상태(Fitness): 피로는 몸의 적응력, 회복력에 영향을 주며, 필요한 테크닉을 올바르게 수행할 수 있는 능력에도 영향을 미친다. • 들기, 구부리기, 서기, 앉기와 같이 매일매일 행하는 활동의 영향을 확인한다	• 적절한 쿨다운(cool-down) • 직장이나 매일매일의 활동을 위해 반복되는 동작이나 정적인 자세로부터의 회복 • 좋은 영양섭취	• 각 근육들 간의 상대적 근력 • 해당활동에 대한 유연성 • 자세 • 중심(core)근력	• 과거의 부상 • 척추옆굽음증이나 다리길이 불일치 등의 선천적인 상태 • 연령

신체에 악영향을 끼치는 조건들(Conditions That Affect Each Area of the Body)

촉진과 각 관절의 운동패턴 분석을 통해 연부조직을 평가하는데, 이런 연부조직검사와 STR을 함께 수행할 수도 있다. 정상에 비해 현저하게 ROM이 제한되었다는 것은 해당 근육(그룹)의 제한을 의미한다. 이런 ROM 제한이 특정 병적 상태 (pathological condition)와 함께 동반되는 경우라면 어떤 근육 군의 문제인지 예측하고 어떤 치료를 적용해야 할지 결정하는 것이 비교적 쉽다. 예를 들어 두 사람의 환자가 비슷한 양상의 견갑대 이상을 보이지만, 치료사에 의해 감지된 연부조직의 느낌(soft tissue feel)이 전혀 다른 상황을 생각해보자. 따라서 명백하게 눈에 보이는 문제를 너머, 치료사의 손에 무엇이 느껴졌는지에 따라 치료할 수 있는 능력이 필요하다. 이러한 특성들은 대상자 마다 다르기 때문에, ROM 체크와 연부조직 질감(texture) 평가의 중요성에 대해 다시금 생각해보아야 한다.

느낌(Feel)은 불명확한 과학(inexact science)이며, 숙달된 연부조직의 촉진은 다년간의 경험과 환자로부터의 피드백을 통해서만 얻을 수 있기 때문에, 환자의 감각이나 불편감을 판단하기 위해서는 환자의 언어를 귀 기울여 들어주고 환자와 원활하게 의사소통(communication)하는 능력이 필요하다. 조직을 촉진할 때 보편적 연부조직의 기능장애를 야기하는 손상 기전을 이해하는 것도 중요하다. 연부 조직 내의 특정 병적 상태가 특정 부위에 단독으로 있는 경우는 드물며 그 양상도 매우 다양하다. 아래 제시된 일반적 기능장애에 대한 기초지식들은 촉진기술을 향상시키기 위한 가이드로 사용된다.

염증(Inflammation)은 조직 손상(tissue trauma)에 대한 가장 첫 번째 반응이다. 염증은 붉어짐(redness), 부종, 통증, ROM 감소 중 하나 또는 동시에 여러 증상을 보인다. 염증이 발생된 부위에 직접 강한 압력을 가하는 것은 조직 손상을 가중시킨다. 대부분의 조직 외상에 대한 초기 치료로 RICE - 휴식(rest), 얼음(ice), 압박(compression), 거상(elevation)- 를 권장한다. 일반적으로 염증을 경감시키기 위한 치료란 좋은 순환(good circulation)을 유지함을 의미하지만, 염증 부위에 직접적인 움직임을 가하는 것이 때론 치유에 해로울 수 있다. 일반적으로 가시위근 힘줄염(supraspinatus tendonitis)이나 가쪽위관절융기염(lateral epicondylitis)과 같은 만성적 상태는 염증을 동반한다. 일반적으로 급성 조직 반응이 있는 부위에 직접적으로 치료를 가하는 것은 피해야 하지만, STR은 염증 부위와 상당히 근접한 부위에도 적용할 수 있으며, 염증 반응에 부정적 영향을 주지 않으면서도 조직재생 과정에 긍정적 효과를 가진다.

흉터조직(Scar tissue)은 재생과정의 결과로 형성된다. 치유초기에 흉터조직은 상처를 서로 붙이는 역할을 하지만, 상처가 회복이 완료된 후의 조직에 비해 상대적으로 약하다: 즉 인장력(extensibility), 강도(strength)와 운동성(mobility)이 부족하다. 또한 정상조직에 비해 흉터조직은 딱딱하고 치밀하게 느껴진다. 면밀하고 철저한 재활과정은 흉터형성으로부터 완벽한 회복을 촉진시키고 찢어진 조직의 재생을 고무시킨다. 많은 수의 근 섬유 파열과 심한 출혈이 동반된 경우에는 섬유모세포 활동이 활성화되어 궁극적으로 더 많은 흉터 조직이 형성된다. 이 경우 최대 회복을 위해서는 적절한 압력(pressure)과 움직임(movement)이 필수적이다.

유착조직(Adhesive tissue)이란 서로 분리되어 있어야 할 두 구조물이 서로 붙어있는 상태를 뜻한다. 이러한 유착은 근육군 사이, 근섬유다발 사이, 힘줄과 힘줄윤활집(tendon sheath) 사이, 근육과 힘줄 사이(예, 가쪽 넓은근(vastus lateralis)과 엉덩정강근막띠(ITB) 사이), 관절낭 접합부위 등과 같이 서로 부드럽게 미끄러져야 하는 두 표면(capsular fold) 사이에서 생길 수 있다. 콜라겐 섬유의 윤활작용 감소뿐 아니라, 조직파열과 섬유 사이의 활주 장애의 결과로 콜라겐 기질 내 과도한 교차 연결이 형성되고, 결합조직의 비대와 접착(gluing) 등이 발생한다. 유착이 발생한 두 표면 사이의 조직들을 서로 분리시켜 고정(locking)하고 섬유를 늘리는 것(lengthening)은 유착된 두 표면의 분리(seperation)를 촉진시킨다.

과다긴장 근육 조직(Hypertonic muscle tissue)이란 근육 긴장(tone)이 과도하게 높은 상태이다. 경직된 근육은 긴장도가 높고, 안정 상태에서 근육의 길이가 감소된다. 때론 근육길이의 감소 없이도 근 긴장도가 증가될 수 있는데, 이런 경우를 "길이가 긴 잠김 상태(locked long)"라고 표현한다.

억제된 근육(Inhibited muscle)이란 근력(muscle's strength)이 감소된 상태를 뜻한다. 손상 이후 발생한 인체역학적 변화와 근육 위축(atrophy) 등으로 인해 근육섬유들이 최적의 기능을 수행하지 못하는 상태이다. 경직된 근육에 STR을 적용하는 것은 억제된 근육의 강화에 도움이 될 것이다.

구획증후군(Compartment syndrome)이란 근속막(또는 구획) 안의 개별 근육이나 근육군이 근속막에 상당한 압력을 가할 정도로 부어 오른 상태를 뜻한다. 압력의 증가는 신경 및 혈관 구조에 압박을 가할 수 있다. 급성 구획증후군은 해당 부위에 가해진 직접적인 타격(blow)에 의해 주로 발생하며, 병원치료를 요한다. 과사용에 의한 만성 구획증후군은 하퇴의 앞쪽 정강이 구획(anterior compartment of the lower leg)과 같이 근속막낭(fascial sac)이 치밀한 부위에 주로 발생하며, 능숙한 STR 적용이 증상을 완화시킬 수 있다.

STR 과 유해신경압박(Adverse Neural Tension)

유해신경압박이란 결과적으로 기타 다른 조직들의 기능에 영향을 미치는 신경계에 가해진 모든 종류의 손상을 의미한다. 이 개념은 신경전달, 혈액공급, 근력이나 근긴장도(tone)의 변화를 포함한다. 이러한 신경계 손상이 빈번하게 발생되는 부위는 아래와 같다.

- 연부조직과 뼈 터널(soft tissue and/or bony tunnels) 부위-예를 들면 손목굴(carpal tunnel)내의 정중신경, 발목굴(tarsal tunnel)의 정강신경.
- 신경이 고정된 부위-예를 들어 종아리신경(peroneal nerve)이 종아리뼈 머리를 지나는 곳.
- 신경이 나누어지는 곳-예를 들어, 셋째와 넷째 발가락 사이에서 바깥 신경(lateral nerve)과 안쪽 신경(medial nerve)의 가지들이 서로 만나 온바닥쪽발가락신경(common plantar digital nerve)을 이루는 곳.
- 신경이 움직임이 없는 구조물 근처를 지나는 부위-첫 번째 갈비뼈 위를 위팔신경얼기가 지나는 곳.
- 텐션이 집중되는 지점(tension points)-예를 들어 6번 허리뼈 수준(T6 level).

STR 은 주의 깊게 적용해야 한다. STR 의 능숙한 적용은 '궁둥구멍근 증후군(piriformis syndrome)'의 경우와 같이 신경에 가해지는 근육의 압박을 감소시킬 수 있다. 그러나 너무 과도하게 압력을 가하는 것은 오히려 증상을 더 유발시켜 치유에 해가 될 수도 있다. STR 고정(lock)은 비교적 단시간 동안 적용하기 때문에 능숙하게 사용된다면 부작용을 피하고 좋은 결과를 기대할 수 있을 것이다.

표 2 조직질감(texture) 요약

	건강한 조직 상태	건강하지 않은 조직 상태
근육	• 신축성있음, 탄력있고 유연함	• 치밀하고 단단하여 깊은 압력을 적용할 수 없다, 고정을 시 잘 잡히지 않는다. • 만약 억제(inhibition)/근약화 상태라면 탄력과 긴장이 낮게 느껴짐
얕은근막	• 눌렀을 때 충격파(bow wave)가 형성되는 것이 느껴질 수 도 있다 쉽게 여러 방향으로 움직인다.	• 눅진한(clammy)느낌 • 근막 밑에 위치한 조직층을 움직이기 어려움
근막	• 근육의 경계를 쉽게 찾을 수 있고, 근육의 윤곽을 느낄 수 있다.	• 근육의 경계가 뚜렷하지 않고 빽빽하며, '두꺼워져(thickened)' 있다.
힘줄	• 쥐기 쉽고, 단단함	• 두껍고, 단단하여 유연성이 없다. • 부종이 동반됨
인대	• 뻣뻣함	• 느슨하고 가늠

수술 후 STR 의 적용

수술 또는 강제적 고정(enforced immobilization) 후에는, 심한 조직 변화가 일어난다. 수술 자체만으로도 조직은 찢긴 상처(laceration)를 입게 되는데, 상처 치유를 위해 수술 후 강제 고정까지 적용 한다면 조직은 더 두꺼워지고 유착되고 흉터조직은 더 심하게 형성된다. 근막조직의 탈수 및 비대와 더불어 근육의 구축과 약화가 생긴다.

최적의 치유를 위한 움직임과 압력의 적용(Movement and Pressure Are Essential for Optimal Repair)

움직임은 손상 조직을 재생시키고, 단단하고 경직된 조직을 풀어주기 위해 필수적인데, 맨손 압박(manual pressure)은 제한된 조직의 이완에 효과적이다. 움직임과 압력을 함께 적용하는 것은 모든 물리치료사들에게 있어 강력한 치료 방법이다. STR을 하는 동안 기능적 요소를 부가하거나, STR과 함께 기술적으로 근력 강화(skilled strengthening)를 적용하는 것은 근력의 회복, 움직임의 교정, 운동 협응 향상을 위한 빠른 방법이다.

STR 의 역할(The Role of STR)

STR은 역동적이고 참여적(participative)이며 흉터조직의 유착이나 상처(lesion)와 같은 대부분의 연부조직의 기능 이상을 빠르게 호전시킨다. STR은 다양한 만성 통증 패턴을 빠르고 지속적으로 향상시키며, 추나요법(chiropractic)이나 기타 다른 물리치료 기법(technique)와 함께 적용하기에 적합하다. 조심스러운 STR이 아급성기 동안 초기 도수기법(early mobility work)과 함께 사용될 수 도 있지만, 주로 만성적인 조직 변화를 가진 환자에게 쓰인다. 또한 모든 수준의 스포츠 인구에게 유익하므로 스포츠 분야에서도 널리 사용된다.

유지(Maintenance)

첫째, 정기적인 STR은 육체적 건강 상태의 유지를 돕고, 훈련(training)으로부터의 회복을 빠르게 하고, 손상의 위험을 줄인다. 연부조직 기능장애의 초기 증후를 발견하고 적절하게 대처할 수 있게 하여, 문제가 있는 신체 부위를 알지못한 채 지내지 않도록 한다. 근육과 주변 지지 조직들을 건강하게 유지하는 것은 격심한 훈련을 견딜 수 있게 하고, 과사용으로 인한 위험을 감소시킨다.

손상 치료(Treatment of injury)

둘째, 조직 손상이 있는 경우, STR은 다른 재활프로그램과 함께 사용할 수 있는 효과적인 방법이다. 문제가 있는 부분을 빠르게 찾아낼 수 있고, 찾아낸 문제에 따라 적합한 STR을 적용할 수 있다. STR 시 손상 부위의 움직임이 불가피하며, 움직임을 위해서는 신경계가 관여하므로 그 부위의 손상된 조직의 재교육을 촉진 시킨다.

다양한 두름성(Versatility)

마지막으로, STR 은 스포츠 이벤트에 적용하기에 유리한 매우 활용도 높은 기술이다. 스포츠의 경우, 시간저 타이밍(언제 손상 당한 선수가 다시 대회에 출전해야 하는지)과 시설(facility)의 종류 등과 같은 다양한 변수가 작용한다. 이런 면에서 STR 은 매우 적용도(adaptable) 가 높으며, 필요에 따라 옷을 입은 그대로 또는 기능적 자세에서도 적용할 수 도 있다. 또한 STR은 매일의 활동으로 인한 통증의 감소에도 매우 효과적인 연부조직 치료 기법이다.

육체적인 직업(Physical jobs)

스포츠 뿐 아니라 육체적 직업도 손상을 유발할 수 있다. 정기적 STR 은 조직에 가해지는 스트레스의 초기 증후들을 발견을 도우며 환자의 직업과 그 직업을 수행하는데 요구되는 독특한 자세와 동작 패턴을 고려하면서 연부조직 문제를 다룰 수 있는 효과적인 방법일 수 있다.

정적 자세(Static positions)

STR은 운전과 같이 정적 자세가 통증의 원인 경우에 동작을 이끌어낼 수 있는 좋은 방법이다. STR은 환자에게 정상적인 ROM을 내에서의 움직임을 교육하고 자가 치료 프로그램(self-treatment programmes)을 격려하기 위한 이상적인 테크닉 중 하나이다.

예방(Prevention)

경영진(고용주)들은 손상으로 인한 잦은 결근을 줄이고 직원들의 사기를 향상시키기 위한 손상 예방의 필요성을 더 잘 인식하게 되었다. 어떤 사무실은 근로 장 내 마사지 제도를 운영하기도 하는데, 이 때 STR은 오일(oil)이 필요 없고 근무방해의 최소화를 위해 신속하게 적용할 수 있는 이상적인 테크닉이다.

STR의 적용방법: '고정(Lock) - 신장(Lengthen) - 이완(Release)'

효율적으로 STR을 수행하기 위해서 심도 있는 해부학적 지식과 좋은 촉진 기술(palpation skills)이 필수적이다. 동작에 대한 기본적 이해 뿐 아니라, 허용 가능한 동작 변이(acceptable variations)와 통증과 기능이상으로 인해 발현된 운동 패턴의 변화(altered movement patterns) 등을 이해하는 것도 중요하다. 그러나 실제로 STR을 적용하는 것이야 말로 반복적으로 만지고 움직이는 과정을 통해 촉진 기술을 극대화하고 해부학적 지식을 습득하는 가장 이상적인 방법 중 하나이다. 연부조직을 치료하는 동안 섬유조직의 움직임을 느끼는 것은 연부조직의 부착부위를 찾고, 각 섬유들의 경계를 구분하고, 특정 구조들과 조직의 상태를 더 정확하게 파악하는 것을 돕습니다.

테크닉(The technique)

STR은 치료하고자 하는 결합 조직을 고정(locking)하고 해당 조직 내에 배열도니 섬유조직들이 신장되도록 고정된 상태를 유지함을 통해 수행되는데, 그 과정을 고정(lock)–신장(lengthening)–이완(release)으로 요약할 수 있다. STR을 어느 부위에 어떤 종류의 조직에 적용할지에 따라 여러 다양한 방법으로 고정을 적용할 수 있다. 신장 또한 다양한 방법으로 적용된다.

고정(The lock)

어떻게 고정했느냐에 따라 특정 연부조직이 얼마나 효과적으로 이완될지 결정된다. 조직의 상태에 따라 그 조직을 다루는 여러 방법이 있다. 고정은 짧아진 근 섬유를 늘리기 위해 사용될 수 도 있다. 고정은 또한 각 근육 그룹 사이 또는 하나의 근육 내 의 유착(adhesions)을 분리해 내기 위해서 사용될 수 도 있다. 흉터조직도 직접적인 고정방법으로 고정될 수 있다. 연부조직 마사지 고정(connective tissue massage (CTM) lock) 방법으로 힘줄들도 서로 분리시키거나, 연부조직 기질(connective tissue matrix)도 구체적으로 다룰 수 있다. 무엇이 필요한지에 따라, 아래와 같은 고정 패턴들로 구분된다:

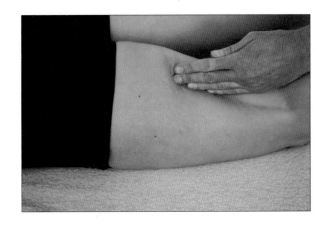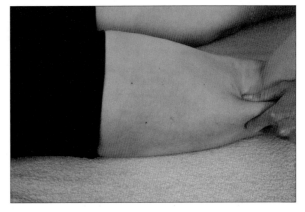

- **표면 부위(Surface area)**: 조직을 처음으로 고정할 때에는, 항상 접촉면(contact surface area)을 넓게 시작하라.
- **압력의 크기(Amount of pressure)**: 너무 일찍 너무 높은 압력을 가하지 않는다. 만일 조직의 저항이 너무 강하거나 단단하다면(긴장이 높다면), 압력을 줄여야 한다.
- **압력의 방향(Direction of pressure)**: 조직이 어떤 느낌이어야 하는지 생각해라. 만일 힘줄 섬유가 서로 뭉쳐서 단단하다면, 확장(넓힘)고정(broadening lock) 이 필요하다. 만일 근육이 짧아졌다면, 길이 신장을 극대화 시키기 위해 움직임는 관절로부터 먼 방향으로 신장고정(lengtheining lock)을 고려해야 한다.
- **연부조직 마사지 고정(CTM lock)**: 이것은 특별히 고안된 방법으로, 예를 들어 앞정강근(tibiali anterior), 가시아래근(infraspinatus), 등허리 근막(thoracolumbar fascia) 과 발바닥근막(plantar fascia) 과 같은 근막이 특히 잘 발달된 부위에서 CTM 고정의 효과를 기대할 수 있다. 힘줄에도 CTM 고정을 적용할 수 있다. 연부조직이 두꺼워지거나 고정된(tacked down) 어떤 부위든지 CTM lock 을 적용했을 때 특히 더 빠르고 보다 지속적인 이완 효과를 경험하게 될 것이다.

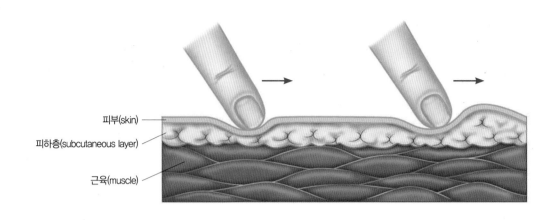

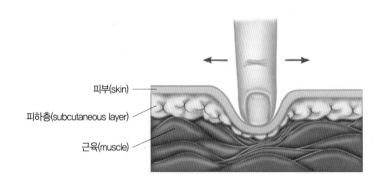

그림 3 연부조직마사지 고정(CTM lock); a) 얕은 근막, b) 근막층에 근막가동술(myofascial mobilization)을 적용하는 모습

CTM 고정을 적용할 때 치료사의 도구에 해당되는 손과 아래팔의 효율을 극대화 하기 위해 바른 신체 역학(body mechanics)을 고려하여 지혜롭게 사용되어야 한다. 또한 치료사는 반드시 본인이 감수해야 할 위험요인을 감소시켜야 한다는 필요를 인식해야 한다. 처음에는 그 조직을 부드럽게 하고 준비(warmed up)시키기 위해 넓은면 고정(broad surface lock)이 권장된다; 압력을 좀 더 넓은 면적에 걸쳐 더 표층에 가한다. 그림에서 제시하는 바와 같이, 손 전체, 가볍게 컵모양을 한 손(cupped hand), 손바닥의 두툼한 부위(heel of the hand), 자뼈(ulna)의 넓은 면, 가볍게 쥔 주먹 등을 사용한다. 보다 깊은 또는 특정한 고정을 위해서는, 손가락, 손가락관절(knuckles), 팔꿈치(olecranon) 등이 사용된다. 이때 (치료사의) 손이 손상 당하는 것을 예방하는 것이 중요하다. 알맞은 높이에 환자를 위치시키고 좋은 작업자세로 치료하도록 하라. 조직에 압력을 가하기 위해 체중을 사용하라. 가능하다면 항상 보강된 고정을(reinforce a lock) 사용하도록 한다(예를 들어, 그림에서와 같이 만약 엄지를 사용한다면 반대편 손의 손가락들을 엄지 위에 겹쳐서 보강하라 −옮긴이). 그 외에도 도움이 될만한 여러 마사지 도구들이 시판되어 있다. 그러나, 치료사의 손이나 아래팔 등의 신체부위로 고정할 때와는 달리 이러한 도구들을 사용할 때에는 환자의 몸으로부터 치료사에게 전해지는 조직 되먹임(tissue feedback)을 잘 느낄 수 없으므로 신중해야 한다.

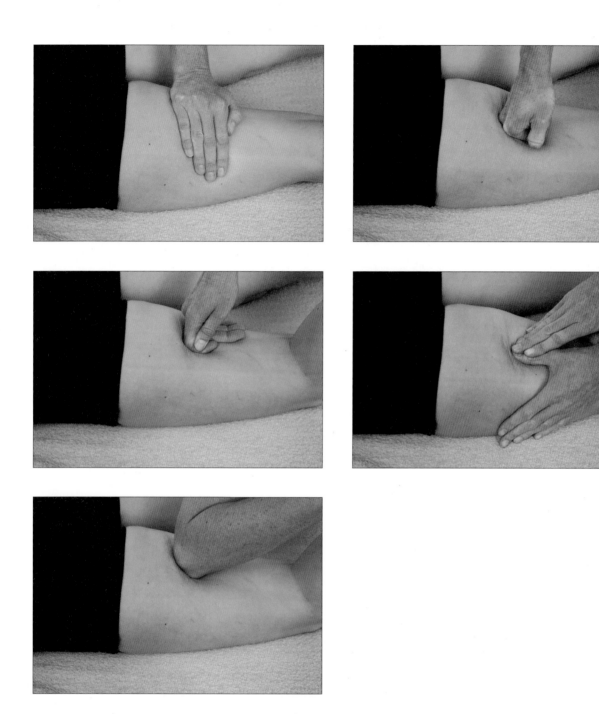

늘임 또는 신장(The Stretch)

신장(lengthening) 상태에서 움직임(movement in the form of lengthening)은 치료사에 의해 수동적으로, 또는 환자 스스로 능동적으로 이루어질 수 있는데; 가장 적절하게 늘리기 위해서 신장(stretch)은 최소한의 범위 내에서 적용될 수도 있고 전 관절 범위를 거쳐 적용될 수도 있다. 뭉치고 짧아진 부위라면 고정과 신장을 적용하기에 앞서 짧아진 근육을 수축시켜보는 것이 필요하다. 어떤 근육이 하나 이상의 작용(동작)을 한다면, 여러 동작이 복합적으로 일어날 것이다. 예를 들면, 엎드린 자세에서 넓다리뒤근(hamstring)을 치료할 때 정지 부위에 힘줄을 신장을 위해서는 무릎이 폄(knee extension)과 회전(rotation)되는 자세가 유리하다. 어떤 능동적 신장을 실시하기 전에 ROM이 어떤지 확인하는 것이 중요하다. 만일 한 개 이상의 여러 관절을 지나는 근육을 신장시켜야 한다면 어떤 관절의 움직여야 할지 신중하게 선택해야 한다. 넓다리 뒷근의 경우, 바로누운 자세에서 하는 것이라면 엉덩관절을 굽히고 무릎은 편자세가 적합하다. 조직에 외상을 가하지 않기 위해서 한번에 한 동작씩 적용할 것을 권한다. 조직 반응을 느낄 수 있도록 신장은 일반적으로 천천히 수행하며 원하는 길이까지 확보된 후 이완(release) 시킨다. 이와 동시에 고정도 풀어준다.

STR은 능동 분리 신장(active isolated stretching)이나 '유지-이완' 테크닉(hold-relax) 등의 근육 에너지 기법(muscle energy techniques (METs)과 쉽게 접목하여 사용할 수 있다.

여러 종류의 STR (Different Types of STR)

수동(Passive) STR은 신장(stretch) 시키기 위해 치료사가 원하는 연부조직을 고정한 후 해당 신체부위를 조정(manipulation)하는 방법이다. 이 방법은 준비 단계(warm-up)에서 주로 사용된다. 수동 STR은 조직회복의 초기 단계에 유용한데, 이 경우 새로 만들어진 육아조직(granulation tissue)이 훼손되지 않도록 조심스럽게(gentle) 고정해야 하며, 통증을 유발시키지 않는 관절범위 내에서 신장을 적용한다. 이 방법은 뇌졸중 후 강직(spasticity) 있거나, 심한 근약화로 인해 능동적 움직임이 어려운 경우에도 유용하다.

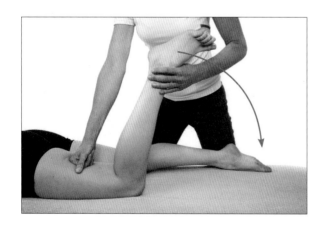
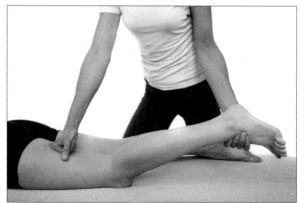

능동(active) STR은 치료사가 조직을 고정한 후, 환자가 스스로 근섬유들을 신장시키기 적합한 동작을 하도록 가이드 하는 것이다. 이 방법은 치료사의 노동강도를 낮출 뿐 아니라 환자 본인에게 스스로 결정할 수 있는 권한을 부여한다. 만약 특히 어떤 부위가 더 단단히 뭉쳤다면 환자 스스로 언제 이완을 할 것인지를 결정할 수 있으므로 STR에 따른 통증을 최소화 할 수 있다. 환자는 스스로 편안하게 느끼는 범위만큼만 움직이면 된다. 또한 능동 STR은 환자 스스로는 하지 못하는 동작을 가르치거나, 본인의 동작이 비정상적인 패턴인 것을 미처 인식하지 못하는 환자들에게 기능적 인식(functional awareness)을 통해 올바른 동작패턴으로 수행할 수 있도록 가르치는 데에도 적합하다. 실제로 능동적 STR 동안 환자에게 근방추(muscle spindle), 신장수용기(stretch receptor), 근막 고유감각수용기(fascial proprioceptors)로부터 입력되는 고유감각이 증가되는 기회를 제공한다. 어떤 재활프로그램이든 신경계를 함께 포함시키는 것이 중요한데, 능동 STR은 도수적 압력(manual pressure)과 동시에 이러한 필요를 함께 충족시킨다.

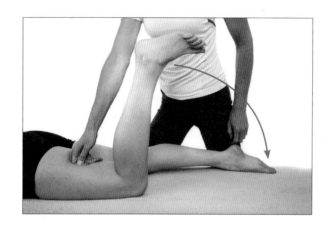
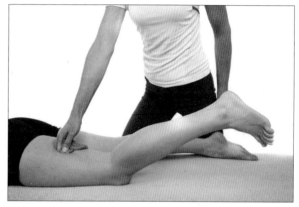

체중부하 STR (weight-bearing STR)은 눕거나 엎드린 자세가 아니라 바로서기 (standing)와 같은 기능적 자세에서 적용한다. 치료사는 환자가 기능적 자세를 취하도록 한 후 치료하고자 하는 연부조직을 고정하고, 이 상태에서 환자에게 그 근육에 신장되는 방향으로 움직이거나 특정 물체(예를 들면 공)를 잡고 공 던지는 동작을 해보라고 시킨다. 이 방법은 특정 동작 패턴의 미세한 조정(fine tune)을 위해 매우 효과적이며, 재활과정의 중요한 부분이다. 운동선수들의 경우 특정 동작 싸이클 중 어느 특정 부분에서 통증이 일어나는지가 매우 구체적인데, 즉석 되먹임(instance feedback)과 함께 이 테크닉을 적용할 수 있다.

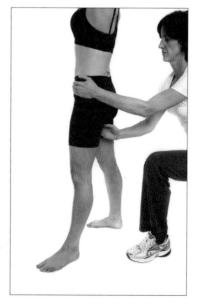

　　저항 STR (resisted STR)은 치료사가 조직을 고정하고, 환자의 능동적 신장에 대항하는 경우이다. 이 방법은 능동 STR 의 한 변형인데, 환자의 능동적 움직임에 대한 저항을 통해 환자의 분절 동작(segmental movement)을 조절하는 데 효과 적이다. 상호억제(reciprocal inhibition, RI)기전에 의한 조직의 이완에도 도움이 된다. 또한 과도한 조직 점성(stickiness) 으로 인해 원하는 깊이까지 접근하지 못할 때 적용 가능한 유용한 방법이다.

고려사항(Considerations)

　　조직 상태의 향상을 최대화 하기 위해서는 STR 적용 시 다양한 유의사항들을 고려해야 한다. 유의사항은 사람 마다 다 르고, 상황에 따라 다르다. 예를 들어 잘 훈련된 높은 수준의 운동선수를 치료하는 것인지 아니면 오랫동안 근육과 지지 연부조직들을 사용하지 않았던 지금 막 석고고정을 마친 환자를 치료하는 것인지도 고려해야 한다. STR 적용시 고려해야 할 사항은 아래와 같다.

- **적용 속도(Speed of application)**: STR은 본질적으로 역동적인 테크닉이긴 하지만 너무 빠른 속도로 실시하지 않는 것이 중요하다. 항상 조직의 상태와 반응을 느낄 시간을 가져야 한다. 조직이 짓눌러지거나 외상을 입지 않도록 천천 히 고정하라.

- **적용 깊이(Treatment of layers)**: 항상 조직의 표면 층(superficial layers)을 먼저 치료하라.

- **동작의 방향(Direction of movement)**: 고정을 적용할때, 해당 근육 섬유를 늘리기 위해서 하게 될 동작의 방향은 관 절로부터 멀어지도록 한다. 근막은 움직임이 필요한 방향으로 (어느 쪽으로 풀어주어야 하는지에 따라—옮긴이) 근막 면(fascial plane)을 따라서 따라 움직여주어야 하는데, 특히 CTM lock 을 적용할 때 이 점을 고려해야 한다.

- **호흡패턴(Breathing pattern)**: 환자의 호흡을 따라 실시하며 필요하다면 호흡패턴을 가이드 한다. 더 깊은 부위를 고 정을 할 때, 환자가 이완(relaxation)을 유지할 수 있도록 숨을 내쉴 때 깊이를 확보한다. 어떤 경우에는 원하는 깊이 까지 도달하기 위해서 압력을 증가시키면서 두 세 번의 내쉬기를 반복해야 할 경우도 있다.

- **동작의 선택(Movement selection)**: 능동적 STR을 적용하기에 앞서 조심스럽게 수동 신장시키면서 환자에게 정확한 동 작이 어떤 것인지 가이드 한다. 이렇게 함으로써 능동 STR을 위한 동작이 정확하게 수행된다. 환자가 주도적으로 편안 한 범위 내에서 움직이도록 허용 하고 필요하다면 동작의 재교육(reeducation)을 위해 능동적 신장(active stretch)을 지도한다. 여러 관절을 지나거나 하나 이상의 동작을 담당하는 근육이라면 관절움직임의 선택에 유의한다.

- **촉진 기법(Palpation tool)**: 촉진을 돕기 위해서 STR의 역동성(dynamism)을 활용하라. 근육 섬유의 방향과 깊이, 그리고 힘줄이 어떻게 움직이는지를 느끼도록 한다.

- **폭넓은 관점(Overview)**: STR을 적용하고 있는 근육뿐 아니라, 그 이상을 생각할 수 있어야 한다. 예를 들어 한 근육 을 선택하여 STR을 적용할 때, 그 근육에서 기대한 반응도 나오지 않는다면 다른 근육(또는 다른 연부조직)에 STR 을 시도한다. 어떤 두 명의 테니스 팔꿈증(tennis elbow) 환자들도 서로 같을 수 없다는 것을 기억하라. 테니스 팔꿈 증 환자를 치료할 때 아래팔(forearm)의 손목폄근들과 그들의 공통힘줄(common extensor tendon)을 집중적으로 다루지만, 동시에 위팔세갈레근과 어깨 복합체 전반, 그리고 목 부위까지 함께 고려해야 한다.

- **타이밍(Timing)**: 치료 적용시점을 결정할 때 직장에서의 작업과 매일매일의 활동 뿐 아니라 스포츠 트레이닝과 경기 출전일정 등을 함께 고려해야 한다. 예를 들어 주요 경기 출전에 앞서 너무 과도한 이완이 되는 것을 피하기 위해, 특 정 부위의 이완이 경기수행에 어떤 영향을 주는지를 고려해야 한다. STR은 직장에서의 업무수행이나 긴 여행(long journey)에 영향을 줄 수 있는데, 예를 들면, 치료 후 환자가 피곤해 하거나 멍해지는 느낌이 들 수 있다.

- **이상 반응**(Unusual responses): 특히 아주 만성인 상태를 치료할 때 자율신경계의 반응이 일어날수 있는데, 미식거림, 체온변화, 피로감 등이 포함된다. 이런 증상이 나타나면, 신경계의 반응이 잠잠해 지도록 잠깐 쉬도록 한다.

CHAPTER 01

머리와 목(The Head and Neck)

머리와 목 부위에 많은 근육들이 있지만, 본 교재에서는 쉽게 타이트해지거나 제한(restricted)이 생기거나 비정상적인 동작으로 인한 불편감을 야기하는 것으로 알려진 연부조직 중, 연부조직 이완법(STR: soft tissue release)으로 치료 가능한 근육들 만을 한정하여 다루고자 한다. 1장은 턱 관절(temporomandibular joint) 및 목뼈(cervical spine) 관절과 연관된 근육과 기타 연부조직들을 다루고 있다.

머리

턱 관절(Temporomandibular Joint; TMJ)

턱 관절은 아래턱뼈(mandible)의 관절돌기(condyle)와 관자뼈(temporal bone)사이의 관절이다. 관절돌기와 관자뼈 사이에는 안장모양의 섬유성 연골원반(meniscus)이 있으며, 연골원반은 뒤쪽 연부조직에 부착되어 관절돌기가 앞쪽으로 움직이도록 한다.

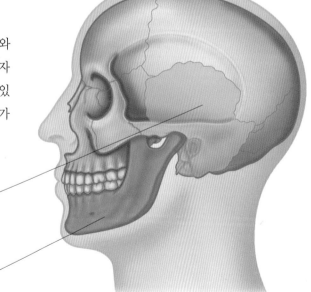

관자뼈(Temppral bone)

아래턱(Mandible)

그림 1.1　턱관절과 머리뼈

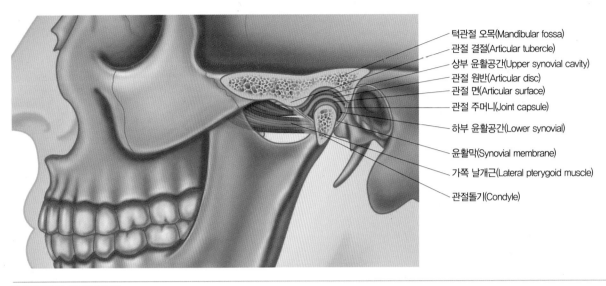

턱관절 오목(Mandibular fossa)
관절 결절(Articular tubercle)
상부 윤활공간(Upper synovial cavity)
관절 원반(Articular disc)
관절 면(Articular surface)
관절 주머니(Joint capsule)
하부 윤활공간(Lower synovial)
윤활막(Synovial membrane)
가쪽 날개근(Lateral pterygoid muscle)
관절돌기(Condyle)

그림 1.2 턱관절(TMJ)

턱 관절의 움직임

입을 벌릴 때 두 가지 중요한 관절 움직임이 일어난다. 첫 번째 움직임은 관절돌기 머리를 지나는 축을 기준으로 일어나는 회전(rotation)이다. 두 번째는 관절융기면(articular eminence)밑에서 관절돌기와 반달연골이 함께 앞쪽으로 움직이는 전위(translation)이다. 저작운동(씹기)을 위해서는 더 복잡한 아래턱 뼈의 움직임이 요구되는데, 내밈(protrusion)이 동반된 내림(repression), 가쪽편위(lateral deviation), 시작 위치로 돌아오기 위한 들임(retrusion)과 안쪽편위(medial deviation)가 동반되는 올림(elevation) 동작이 요구된다.

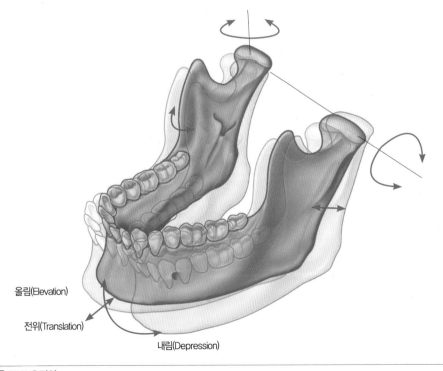

올림(Elevation)
전위(Translation)
내림(Depression)

그림 1.3 TMJ 움직임

턱 관절의 근육들

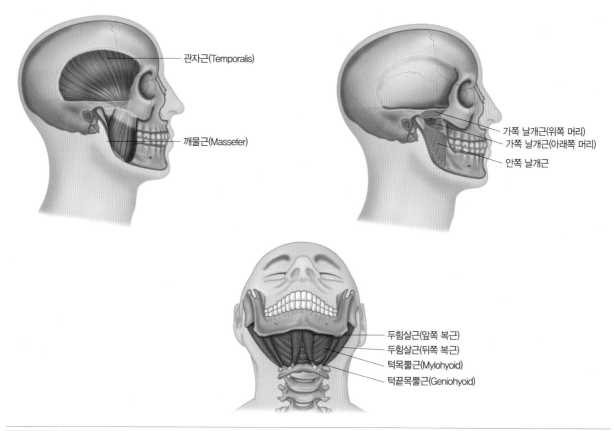

관자근(Temporalis)

깨물근(Masseter)

가쪽 날개근(위쪽 머리)
가쪽 날개근(아래쪽 머리)
안쪽 날개근

두힘살근(앞쪽 복근)
두힘살근(뒤쪽 복근)
턱목뿔근(Mylohyoid)
턱끝목뿔근(Geniohyoid)

그림 1.4 턱관절의 근육들

표 1.1 턱관절에서 각 근육 별 움직임

근육 (Muscle)	아래턱의 운동(Movement of the mandible)				
	내림 (Depression)	가쪽 편위 (Lateral deviation)	올림 (Elevation)	내밈 (Protrusion)	들임 (Retrusion)
깨물근(Masseter)		같은쪽(Ipsilateral)	■		
관자근(Temporalis)		같은쪽(Ipsilateral)	■		■
가쪽 날개근(Lateral pterygoid)		반대쪽(Contralateral)		■	
안쪽 날개근(Medial pterygoid)		반대쪽(Contralateral)	■		
턱목뿔근(Mylohyoid)	■				
두힘살근(Diagastric)	■				
턱끝목뿔근(Geniohyoid)	■				

기호설명표(Key)	주요한 역할(Primary role)	이차적인 역할(Secondary role)	아마도 약간의 역할(Possible role)

표 1.2 근육제한이 턱관절 움직임에 미치는 영향

근육(Muscle)	제한의 영향(Effect of tightness)
깨물근(Masseter)	턱 내림의 제한, 아래턱의 가쪽편위(제한된 근육과 동측)와 씹기역학에 영향 TMJ 내 디스크와 조직에 압박이 가해짐
관자근(Temporalis)	깨물근 제한으로 인한 영향과 유사하나 더 큰 영향을 미침, 턱의 정적 뒤당김(retraction), 아래턱 내밈시 수반되는 정복(reduction), 두통 및 통증과 관련
가쪽 날개근(Lateral pterygoid)	아래턱의 아탈구 와 디스크와 아래턱사이의 비정상적 움직임, 딸깍소리나 턱의 잠김을 야기, 두통과 관련
안쪽 날개근(Medial pterygoid)	디스크의 압박. 만일 근육 제한이 한쪽만 있다면, 턱의 반대쪽편위의 증가, 씹기 역학에 영향
혀근육, 턱목뿔근, 두힘살근, 턱끝목뿔근 (Muscles of tongue, Mylohyoid, Digastric, Geniohyoid)	입의 바닥쪽으로 작용하는 이 근육들 한쪽에 문제가 발생하거나 양측간 긴장의 불균형적은 아래턱의 반대쪽 편위에 영향을 주고, 결국 씹기 역학에 영향을 줄 수 있다.

목

이 책에서 목(neck)이란 목뼈와 뼈운동학적 움직임(osteokinematic movements)에 관여하는 근육들로 정의되는데, 목의 움직임은 몸통에 대한 머리의 상대적 위치 변화로 표현되며, 목 관절들에서 일어나는 뼈운동학적 움직임에 의해 대동작(gross movement)이 가능하다. 머리뼈(뒤통수 뼈)와 첫 번째 목뼈 사이의 관절을 고리-뒤통수 관절(atlanto-occipital joint)이라고 하며, 첫 번째와 두 번째 목뼈 사이의 관절을 고리-중쇠 관절(atlanto-axial joint)이라 한다. 이 두 관절에는 원반(disc)이 없지만, 나머지 다른 목뼈들은 척추사이 원반(vertebral discs)과 후관절(facet joints)에 의해 서로 연결된다. 또한 목뼈 3번째에서 7번째까지는 루시카(Luschka) 관절과 갈고리 돌기(uncinated process)라 불리는 구조물을 가

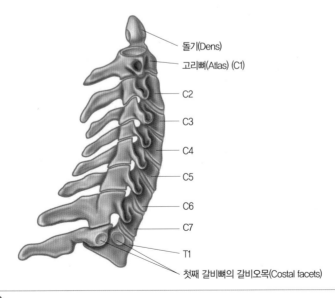

그림 1.5 목뼈와 후관절(Facets)

지고 있다. 이 구조물들이 목뼈 움직임에 어떻게 기여하는지에 대해서는 아직 불명확 하지만, 이런 여러 관절들이 목의 다양한 움직임을 가능하게 한다.

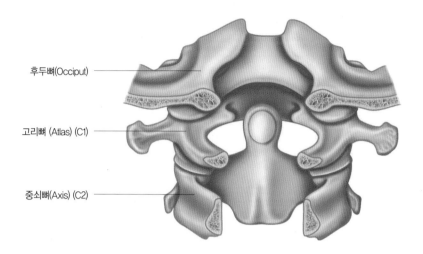

그림 1.6 고리-뒤통수 관절(Atlanto-axial joint)

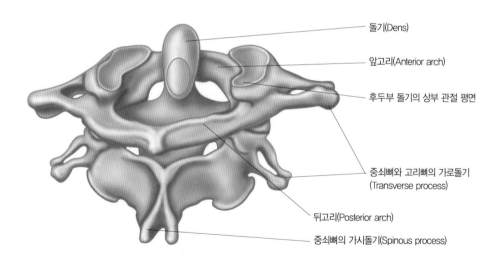

그림 1.7 고리-중쇠 관절(Atlanto-axial joint)

목의 뼈운동학적 움직임(Osteokinematic Movement of the Neck)

고리뒤통수 관절의 구조들은 머리를 끄덕거릴 때 볼 수 있는 목의 굽힘과 폄 동작의 많은 부분을 담당하며, 동시에 목의 회전동작의 거의 50% 도 고리뒤통수 관절에서 일어난다. 전 가동범위(full ROM)까지의 목의 움직임은 고리 뒤통수 관절 아래에 위치한 다른 목뼈관절들에서 부분적으로 일어난다.

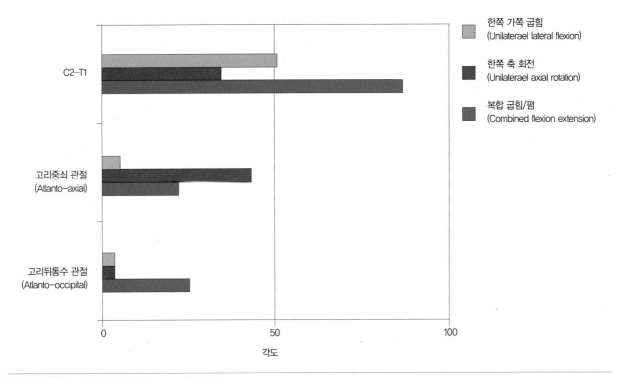

그림 1.8 목뼈 부위의 각 분절(segmental) ROM

목의 관절운동학적(Arthrokinematic) 움직임: Coupled Motion

목뼈는 한 평면에서의 목의 움직임이 일어날 때 다른 평면에서의 움직임이 함께 일어나도록 디자인 되어있다. 각각의 목 뼈 관절마다 다양한 coupled motion들이 일어난다. 머리굽힘이 일어날 때 동시에 고리뒤통수 관절에서 뒤통수 돌기 (occipital condyles)는 아래-뒤 방향으로 전위된다. 고리중쇠 관절에서는 명확한 coupled movement가 보이지 않지만, 목이 회전할 때 목 아랫부분(low neck)의 회전이 일어나기 전 첫 35도에서 45도의 머리 회전을 담당한다.

또한 C2에서 C7 사이의 목뼈에서 가쪽 굽힘(lateral flexion)이 일어날 때 반대 쪽 회전이 동반된다(가시돌기 의 움직임 으로 측정). 후관절과 루시카 관절이 couple motion을 일으키는 중요한 요소라고 생각된다. 비록 이런 coupled motion의 정확한 기전에 대해 아직 잘 설명할 수 없지만, 몇몇 저자들은 목의 굽힘과 폄 동작이 가쪽 굽힘 및 회전과 함께 일어난다 고 하였다. 목뼈의 아랫부분에서, 굽힘은 앞쪽전위와 앞쪽 회전과 함께 일어난다고 생각된다.

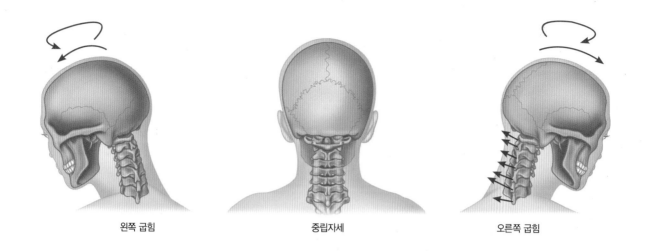

| 왼쪽 굽힘 | 중립자세 | 오른쪽 굽힘 |

그림 1.9 C2와 C7 의 짝 운동(Coupled motion)

목의 근육

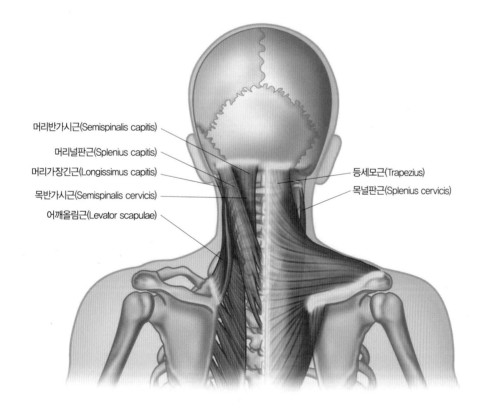

머리반가시근(Semispinalis capitis)
머리널판근(Splenius capitis)
머리가장긴근(Longissimus capitis)
목반가시근(Semispinalis cervicis)
어깨올림근(Levator scapulae)

등세모근(Trapezius)
목널판근(Splenius cervicis)

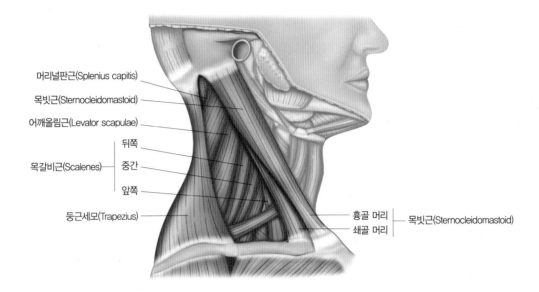

머리널판근(Splenius capitis)

목빗근(Sternocleidomastoid)

어깨올림근(Levator scapulae)

뒤쪽

목갈비근(Scalenes) ── 중간

앞쪽

등근세모(Trapezius)

흉골 머리
쇄골 머리 ── 목빗근(Sternocleidomastoid)

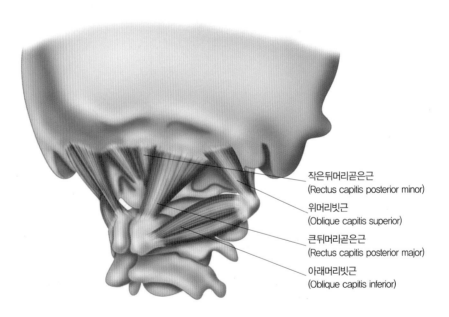

작은뒤머리곧은근
(Rectus capitis posterior minor)

위머리빗근
(Oblique capitis superior)

큰뒤머리곧은근
(Rectus capitis posterior major)

아래머리빗근
(Oblique capitis inferior)

그림 1.10 목의 근육

표 1.3 목 근육의 움직임

근육(Muscle)	목의 운동(Movement of the neck)			
	펨(Extension)	굽힘(Flexion)	돌림(Rotation)	가쪽굽힘(Lateral flexion)
뒤통수밑(Suboccipital) • 작은뒤머리곧은근(Rectus capitis posterior minor) • 큰뒤머리곧은근(Rectus capitis posterior major) • 위빗근(Superior oblique) • 아래빗근(Inferior oblique)	H+CS		H+CS Ipsi	
머리반가시근(Semispinalis capitis)	H+CS			H+CS
머리널판근(Splenius capitis) (작용: 머리와 목 척주) 목널판근(Splenius cervicis)	H+CS		H+CS Ipsi	H+CS
머리가장긴근(Longissimus capitis)	H			H+CS
어깨올림근(Levator scapulae) (작용: 어깨뼈 고정과 함께)	CS		CS Ipsi	CS
등세모근(Trapezius) (어깨뼈 고정과 함께 작용)			H Contra	H
목빗근(Sternocleidomastoid)		Bi-lateral	H Contra	H ipsi
목갈비근(Scalenes)		CS	H Contra	CS

기호설명표 (Key)	주요한 역할 (Primary role)	이차적인 역할 (Secondary role)	아마도 약간의 역할 (Possible role)	H 머리에 작용 (Action on head)	CS 목뼈에 작용 (Action on cervical spine)	Contra 반대측의 (Contralateral)	Ipsi 같은쪽의 (Ipsilateral)

표 1.4 근육제한이 목 움직임에 미치는 영향

근육(Muscle)	제한의 영향(Effect of restriction)
뒤통수밑(Suboccipital) • 작은뒤머리곧은근(Rectus capitis posterior minor) • 큰뒤머리곧은근(Rectus capitis posterior major) • 위빗근(Superior oblique) • 아래빗근(Inferior oblique)	두통과 관련이 있는 작은 뒤머리곧은근에서 경질막과의 연관이 밝혀졌지만, 이러한 근육들에서 긴장의 영향에 관한 연구는 아직 제한적이다. 긴장은 윗목의 펨이 증가될 때, 머리에 위치에 영향을 준다는 의견이 있다.
머리반가시근(Semispinalis capitis)	머리와 목뼈의 굽힘 감소 큰뒤통수신경의 죄임(Entrapment)
머리널판근(Splenius capitis) 목널판근(Splenius cervicis)	머리와 목뼈의 굽힘 감소 단, 이 근육에 대한 연구는 제한적
머리가장긴근(Longissimus capitis)	이마면에서 관찰되는 머리의 가쪽 굽힘과 목척주의 뒤쪽 회전 증가
어깨올림근(Levator scapulae)	목과 안쪽 어깨뼈의 통증 같은쪽에서 목 굽힘의 증가와 어깨뼈의 올라감
등세모근(Trapezius)	머리와 목뼈의 굽힘과 같은쪽 머리의 돌림 감소 두통은 단단하게 뭉쳐진 등세모근 위쪽 근섬유의 통증유발점(trigger point)과 관련있다고 여겨진다.

목빗근(Sternocleidomastoid)	경련성/선천성 기운목(Torticollis) 앞쪽머리자세(Head-forward posture) 위 목척주의 폄 증가
목갈비근(Scalenes)	팔신경얼기의 압박으로 인한 팔과 손의 감각변화 목척주의 돌림의 감소와 가쪽 굽힘의 증가

스포츠와 일상 생활에서 머리와 목의 근육 제한(Muscle Restrictions)의 영향

자전거타기(Cycling)

　　로드 바이크를 탈 때는 장시간 동안 머리와 목이 폄 자세로 유지된다. 이러한 자세는 목빗근(sternocleidomastoid (SCM) muscles)의 긴장도를 높이며, 결국 머리와 목의 폄 근육들에 영향을 미쳐, 등(upper back) 부위의 통증이나 두통과 같은 문제를 야기시킨다. 이러한 문제들은 자전거타기의 수행능력에 영향을 끼칠 뿐만 아니라, 머리와 목을 회전하여 뒤쪽을 볼 수 있는 능력의 손상시켜 위험요인을 증가시킨다.

활쏘기 동작(Archery)

　　활쏘기는 머리를 거의 끝 범위(full range)까지 회전시켜 유지하는 동작을 요구한다. 또한 시야를 목표물과 일직선으로 맞추기 위하여 많은 경우 목의 능동적 가쪽 굽힘을 동반한다. 이러한 자세는 한쪽 목의 거의 모든 근육들을 수축시켜 짧아진 자세에 놓이게 한다. 또한 활시위를 당기는 쪽 팔을 올리는 것은 위쪽 등세모근과 반대쪽 어깨뼈 올림근을 짧게 한다. 목갈비근(scalenes) 부위에서 팔신경얼기(brachial plexus)의 압박으로 인한 두통, 상지 통증, 감각 이상, 저림, 약화, 피로, 부종, 변색 등도 나타날 수 있다.

운전(Driving)

　　많은 사람들은 운전 중 어깨 너머로 주변을 살피기 위하여 고개를 돌릴 때, 처음으로 목의 회전의 제한이 있음을 알게 된다. 이러한 제한은 머리와 목 주변 근육들 중 어느 하나 또는 모든 근육들의 긴장 증가에 의해서 야기될 수 있는데, 특히 등세모근, 목갈비근, 목빗근의 문제일 경우가 많다. 그러나 목뼈 전반에서 일어나는 연결된 움직임은 많은 작은 근육들에 의해서 영향을 받을 수도 있는데 이는 거의 50%의 회전이 고리중쇄관절에서 일어나므로 이 부위에 부착되는 근육의 제한은 머리회전을 현저하게 감소시킬 수 있기 때문이다.

머리와 목 부위의 STR

먼저 환자의 머리와 목의 위치를 확인한 후, 능동 관절 가동 범위(active ROM)를 검사한다: 굽힘/폄, 회전, 가쪽 굽힘.

목 부위 근육에 STR을 하는 동안 신경, 동맥, 분비선 등의 구조들을 정확하게 확인해야 한다. 특히 앞쪽 삼각지대 (anterior triangle) 부위는 더 신경을 써서 접근해야 하는데, 근육의 경계부위를 확인하며 주의 깊게 고정한다. 앞쪽과 중간 목갈비근(anterior and medial scalenes)에 STR을 적용할 때, 근육들이 서로 눌리면 팔신경얼기가 압박을 받을 수도 있다: 신경에 가해지는 자극을 최소화하기 위하여 과도한 압박을 가하지 않고 섬세하게 실시한다. 목빗근(SCM)을 잡는 동안(grasping) 목 동맥(carotid artery) 으로부터의 맥박이 느껴질 경우, 즉시 손을 떼어 다른 곳을 고정하도록 한다. 일반적으로 마사지 치료사들에게 목 부위에 관한 한 능동적 STR을 적용하도록 권하는데, 이는 대상자가 기능적으로 가능한 관절 가동 범위(functionally-capable ROM) 내에서 목을 움직이는 것을 확인할 수 있기 때문이다. 만약 조직이 특별히 단단하거나(fibrous) 관절가동 범위가 현저히 감소된 경우에는 저항된(resisted) STR 이 효과적이다.

바로 누운 자세에서 목빗근(Sternocleidomastoid; SCM)의 STR

1) 대상자의 머리를 중립 위치에 놓은 후, 부드럽게 양쪽 목빗근을 잡는다(단, 한번에 한쪽 근육 씩 실행한다). 대상자가 천천히 머리를 뒤로 젖히도록(extend) 한다. 반대쪽도 같은 방법으로 시행한다. 만약 목빗근을 잡기가 어렵다면, 대상자에게 머리를 테이블 에서 살짝 들어보도록 하여 들려진 머리를 다시 테이블로 내리는 동안 수축하는 근육을 잡는다: 그 다음 환자에게 머리를 뒤로 젖히라고 한다.

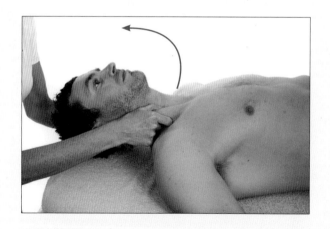 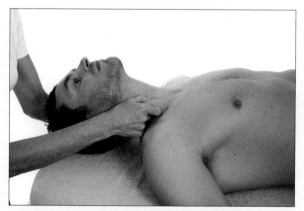

2) 대상자에게 머리를 가쪽 굽힘 하라고 한 후, 짧아진 쪽 목빗근을 부드럽게 잡는다. 그 후, 해당 근육이 신장되도록 반대쪽으로 가쪽 굽힘 시킨다.

3) 머리 중립 위치에서 부드럽게 목빗근을 잡는다; 신장시키기 위해 잡은 목빗근과 같은 쪽으로 머리를 회전하라고 한다. 그 다음 고정을 시행하는데, 근육의 정지부인 꼭지돌기(mastoid process) 쪽에서 시작해서, 근복부위(belly), 그리고 양쪽으로 나누어진 흉골부 시작점과 빗장뼈 시작점을 각각 고정한다.

   • 무거운 머리의 무게를 유지하거나 통증을 유발하는 관절 가동범위를 넘어서 목을 움직이지 않도록 능동적인 STR을 하는 것이 쉽다.

- 또한 목빗근의 경계를 확보하기 위해 연부조직 마사지 고정(CTM lock)을 사용한다; 신장시키기 전에 반대방향으로 머리를 움직여 본다.
- 만약 목빗근이 너무 깊숙이 묻혀 있거나 잘 잡히지 않는다면, 근육 전체 한꺼번에 잡기 보다는 근육의 안쪽과 바깥쪽을 차례로 시도한다.

바로 누운 자세에서 앞쪽, 중간 그리고 뒤쪽 목갈비근(Scalenes) 의 STR

1) 한 손으로 대상자의 머리를 받치고 부드럽게 앞쪽 목갈비근에 연부조직 마사지(CTM)를 적용한다; 대상자가 숨을 들이마실 때 빗장뼈 가까이 목빗근의 가쪽 경계 아래로 고정(lock)한다. 숨을 내쉴 때 천천히 목을 반대쪽으로 굽힌다. 중간 목갈비근을 위해서는 조금 더 바깥쪽으로 고정을 적용한다.

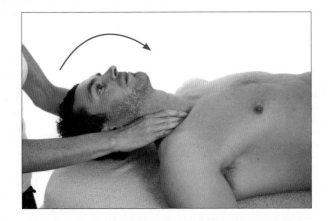

2) 한 손으로 머리를 지지하고, (이 근육이 짧은 상태로) 되도록 대상자가 숨을 들이마시는 동안 머리를 가쪽 굽힘시킨다. 중간 목갈비근과 어깨 올림근 사이에 위치한 뒤쪽 목갈비근 깊이까지 도달하도록 두 손가락을 사용한다; 숨을 내쉴 때 가쪽 굽힘 시킨다.

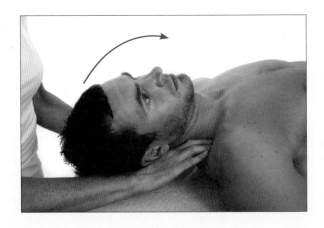
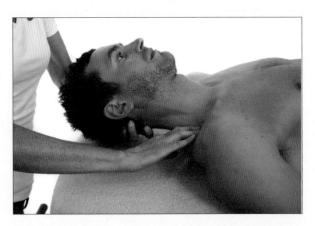

- 신경망이 이들 근육 사이로 지나가기 때문에, 중간 목갈비근과 앞쪽 목갈비근의 제한(restriction)은 신경얼기 압박을 야기할 수 있다. STR은 이 신경들의 자극하지 않고 근육을 이완시킬 수 있는 이상적인 방법이다.

바로 누운 자세에서 등세모근(Trapezius) 의 STR

1) C7 가까이 등세모근을 고정하기 위해 손가락이나 엄지를 사용한다. 이때 그림에서 보여진 것과 보강된 엄지손가락(reinforced thumb: 그림과 같이 엄지 손가락 위에 다른 쪽 손의 손가락들을 겹쳐 힘을 더한다–옮긴이). 대상자에게 반대쪽으로 머리를 가쪽굽힘 하라고 한다. 근복(belly)과 어깨뼈 봉우리 쪽으로 고정을 반복하여 가한다. 다시 대상자에게 반대쪽으로 가쪽굽힘 하도록 지시한다.

2) 여러 손가락들을 함께 사용하거나, 보강된 받쳐준 엄지(reinforced thumb)를 사용하여 C7가까이에서 고정을 가한 후, 대상자에게 천천히 머리를 가쪽굽힘 하라고 한다. 반대쪽 머리를 지지하면서 한번에 한쪽 근육씩 실시하는 것이 더 쉬울 것이다. 목덜미인대(ligamentum nuchae)부터 시작해서 점차 목덜미 인대로부터 멀어지면서 고정을 적용해 나가는 데, 매번 대상자에게 머리를 가쪽굽힘 하도록 시킨다.

3) 뒤통수 부착부위에 연부조직 마사지 고정(CTM lock)을 적용하고 대상자의 머리를 가쪽굽힘하도록 한다.

앉은 자세에서 등세모근의 STR

1) 양 손으로 위등세모근의 앞쪽 섬유의 윗부분에 걸고 한 쪽씩 차례로 손가락들을 위등세모근 앞쪽 섬유 아래쪽으로 말아 넣으면서 CTM 고정을 실시한다. 이 다음 대상자에게 머리의 가쪽굽힘과 머리돌림을 번갈아 하도록 한다. 해당 근육을 늘리기 위해서는 가쪽 굽힘은 고정의 반대쪽으로, 회전은 고정과 같은 방향으로 시킨다.

2) 치료사는 침상 옆 쪽에 앉아서 손가락으로 등세모근
   의 앞쪽 섬유아래로 말아 쥔다. 그 후 대상자를 같은
   방향으로 머리 회전 시키거나 반대쪽 방향으로 가쪽
   굽힘 시킨다.

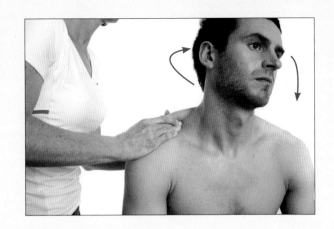

3) C7 가까이서 등세모근을 고정 하기 위해 팔꿈치나 주먹진 손가락 관절
   (knuckle)을 사용한다. 이 상태에서 대상자에게 목을 앞쪽으로 굽히거
   나 반대쪽으로 가쪽굽힘 하도록 지시한다. 근육의 힘살(belly)과 어깨뼈
   봉우리 가까운 부위에 고정을 가한다.

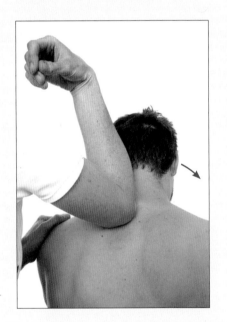

4) 어깨뼈가시(spine of the scapula)위에는 CTM고정을 사용하고 그림의
   화살표 방향으로 대상자의 목을 가쪽 굽힘 하도록 한다(63쪽의 어깨뼈
   움직임과 이완을 참조할 것).

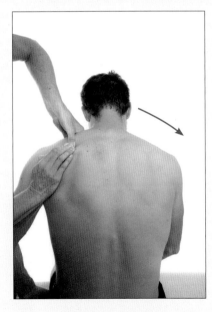

앉은 자세에서 어깨뼈 올림근(Levator scapulae)의 STR

1) 먼저 등세모근의 위쪽섬유(upper fiber)들이 잘 준비되어 있는지(warmed up) 확인한다. 어깨뼈 위 각 (superior angle)에서 보강된 엄지를 사용하여 근육 시작 부위의 힘줄을 향해 등세모근 섬유를 깊이 고정한다. 등세모근의 앞쪽 섬유가 충분히 풀어졌으면, 등세모근 앞쪽 섬유 아래로 손가락을 넣어 어깨뼈 위 각 앞쪽 면을 향해 걸어준다. 이 상태에서 대상자에게 목을 반대방향으로 가쪽 굽힘 하거나 굽힘(flex-ion) 하도록 지시한다. 좀 더 늘리기 위해 대상자에게 목을 가쪽 굽힘하거나, 가쪽 굽힘 자세에서 굽힘을 하도록 한다.

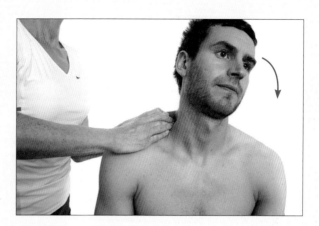

바로 누운 자세에서 어깨뼈올림근(Levator scapulae)의 STR

1) 한 손으로 대상자 머리의 한쪽 옆을 지지한 후 다른 쪽 손은 힘을 잘 가할 수 있도록 손가락들을 겹쳐서 C4 높이에서 세모근 밑으로 넣어 감아 쥔다. 대상자에게 머리를 치료사의 손을 향해 부드럽게 가쪽 굽힘 하라고 지시한다. 더 위쪽 부위 어깨뼈올림근을 늘리기 위해 점점 윗쪽으로 가면서 몇 차례 더 반복적으로 고정과 신장 그리고 이완을 적용한다.

바로 누운 자세에서 머리널판근(Splenius capitis)과 목널판근(Splenius cervicis)의 STR

1) 등세모근에 비스듬한 방향으로 진행되며, 목빗근과 등세모근 사이에서 바로 촉진할 수 있는 머리널판근(splenius capitis)은 보강된 손가락으로 고정한다. 이 상태에서 대상자에게 머리를 반대로 돌리거나 턱을 당기라고(chin tuck) 한다. 꼭지돌기(mastoid process) 가까이에 CTM고정을 적용한다.

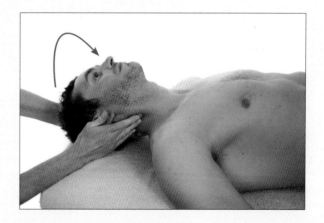

2) 보강된 엄지 손가락으로 C7근처의 머리널판근에 깊게 고정을 가한다. 대상자에게 반대쪽으로 머리를 회전하라고 한다.
   • 목널판근은 머리널판근 보다 깊이 있다.

앉은 자세에서 머리널판근과 목널판근의 STR

1) 먼저, 팔꿈치머리와 주먹 쥔 손가락관절을 이용하여 7번째 목뼈 근처익 등세모근을 깊숙이 고정한다: 그리고 대상자에게 머리를 앞쪽으로 굽히거나 반대쪽 방향으로 머리를 회전 하도록 한다. 아래쪽 절반의 목덜미 인대(ligamentum nuchae)와 위쪽 세 개의 등뼈(thoracic vertebrae)로부터 멀어지면서 고정한다.

2) 손가락을 이용하여 양쪽 목뼈 부위의 등세모근을 잡은 후, 널판근까지 닿기 위해 등세모근의 바깥쪽경계를 감싸듯이 잡는다. 그리고 대상자에게 목을 굽히도록 한다. 이때, 힘을 효과적으로 적용하기 위해 손가락들을 겹쳐서 적용하며, 대상자에게 가쪽 굽힘을 하도록 한다. 한번에 한쪽씩 적용한다.

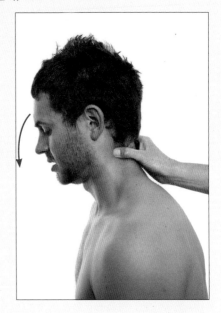

옆으로 누운 자세에서 머리널판근과 목널판근의 STR

1) 둘째 손가락 위에 가운데 손가락을 겹쳐 C7 부위에서 고정한다. 대상자에게 머리를 앞쪽으로 굽히라고 한다. 대상자는 머리를 베개 쪽으로 부드럽게 밀어 저항된(resisted) STR을 시도할 수도 있다. 목덜미 인대(ligamentum nuchae)의 아래쪽 절반과 위쪽 세 개의 등뼈(thoracic vertebrae) 로부터 멀어지도록 고정을 적용한다.

2) 등세모근과 목빗근 사이에서 만져지는 머리널판근을 손가락을 사용해서 부드럽게 고정하고 대상자에게 턱을 안쪽으로 당기도록 지시한다.

3) 꼭지돌기 부착부위에서 이 근육을 다루기 위해서 CTM 고정(CTM lock)을 적용한다. 대상자에게턱을 당기라고(chin tuck) 지시한다.

옆으로 누운 자세에서 척추세움근의 STR: 목가시근(Spinalis cervicis), 머리가장긴근(Longissimus capitis), 목가장긴근(Longissimus cervicis), 목엉덩갈비근(Iliocostalis cervicis)

1) 보강된 손가락(reinforced fingers: 힘을 효율적으로 가하기 위해 손가락들을 겹쳐서-옮긴이) 목세모근과 머리널판근 깊이까지, 그리고 가시돌기 가까이 고정하기 위해서. 대상자에게 목을 앞쪽으로 굽히도록 한다. 또한 대상자는 베개를 향하여 아래쪽으로 머리를 누르는 동작을 취함으로 가쪽 굽힘을 시도 할 수 있다.

   • T7에서 C2부위까지 반복하여 고정을 적용한다.

바로 누운 자세에서 가로돌기가시근육의 STR: 목반가시근(Semispinalis cervicis), 머리반가시근(Semispinalis capitis), 뭇갈래근(Multifidus)

1) 치료사는 치료테이블의 머리 쪽에 앉거나 선다. 판 고랑(lamina groove)쪽으로 깊은 압력을 제공하기 위해 둘째 손가락을 가운데 손가락 위에 겹쳐서 사용한다. 대상자에게 턱을 안쪽으로 당기라고 지시한다. 가로돌기와 가시돌기 사이의 목 부근에서 고정을 적용한다.

- 이 들 근육에 STR을 적용하기 전에 등세모근, 머리널판근, 척추세움근 같은 얕은 근육들은 먼저 이완되어야 함을 명심할 것.

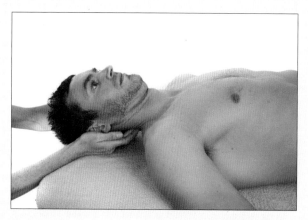

바로 누운 자세에서 뒤통수밑근(Suboccipitals)의 STR:
큰뒤머리곧은근(Rectus capitis posterior major), 작은뒤머리곧은근(Rectus capitis posterior minor), 위머리빗근(Oblique capitis inferior), 아래머리빗근(Oblique capitis inferior)

1) 부드럽게 두 손으로 머리를 잡고 뒤통수 아래에 손가락을 말아 넣는다. 천천히 등세모근, 머리가시근, 머리반가시근을 깊게 고정한다. 대상자에게 턱을 안쪽으로 당기도록 요구한다. 천천히 C1으로부터 멀어지도록, 그리고 C2로부터 멀어지게되도록 고정하는데, 각 부위에 고정할 때마다 대상자에게가 턱을 안쪽으로 당기도록 요구한다.

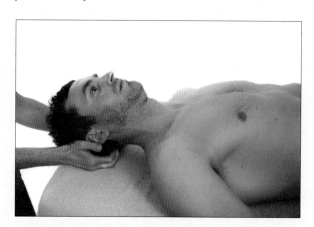

- 머리가 무거워서 양쪽을 동시에 하기에 어려울 경우, 손을 테이블 위에 지지한 상태에서 한 손으로 대상자의 머리를 지지한다; 한 번에 한쪽씩 한다.

바로 누운 자세에서 턱관절 근육(Muscles of the TMJ)의 STR

준비(warm-up) STR을 하는 동안에는 양쪽을 동시에 촉진하는 것이 효율적이다; 이렇게 함으로서 양쪽 턱 움직임과 조직의 질감을 비교할 수 있다. 그러나 더 자세히 또는 구강내(intraorally)로 STR을 적용하려면, 한번에 한쪽씩 치료한다.

1) 관자근(temporalis)을 고정하기 위해 손가락을 사용한다. 대상자에게 입을 벌리도록(아래턱뼈 내림) 한다. 갈고리 돌기(coronoid process)에서 시작되는 힘줄에 STR을 적용하려면 CTM lock 고정을 사용한다. 대상자에게 입을 벌리라고 한다.

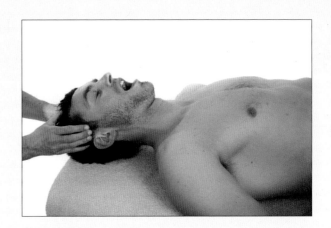

2) 깨물근(masseter)의 얕은 근복부에 고정을 가하기 위해 한 손가락 위에 다른 손가락들을 겹쳐 누른다. 대상자에게 입을 벌리라고 한다. 깊은 근복은 입의 안쪽에서 촉진할 수 있다. 이 근육을 입의 안쪽과 바깥쪽에서 동시에 촉진하기 위해서 각 손의 둘째 손가락을 사용하는데, 한손은 입의 안쪽, 다른 손은 입의 바깥쪽에 놓는다. 대상자에게 입을 벌리라고 한다.

3) 날개근들(pterygoids)은 입의 안쪽과 바깥쪽에서 촉진 할 수 있다. 효과적인 이완을 원한다면 입 안쪽에서 수행하는 것이 좋다. 바깥날개근을 입의 안쪽과 바깥쪽으로부터 촉진하기 위해서 각 손의 두 번째 손가락을 사용한다. 두 개의 손가락이 서로 만나도록 조심스럽게 고정을 하고, 치료사의 손가락이 다치지 않도록 대상자에게 천천히 입을 닫으라고 요청한다! 같은 방법으로 안쪽 날개근(medial pterygoid)의 위치를 찾아 손가락을 놓고, 대상자에게 입을 벌리라고 한다.

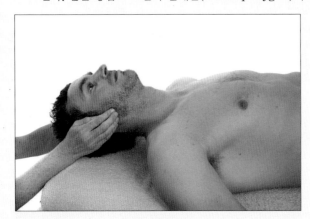

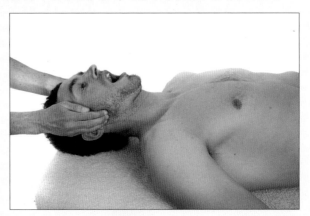

팔이음뼈 복합체
(The Shoulder Girdle Complex)

어깨를 평가하는데 있어서 중요한 점은, 항상 단순히 '어깨'나 '위팔어깨관절(glenohumeral joint)'만이 아닌 팔이음뼈 복합체(shoulder girdle complex) 전체에 초점을 두어야 한다는 것이다. 팔이음뼈는 복장빗장(sternoclavicular)관절, 봉우리빗장(acromioclavicular)관절, 위팔어깨(glenohumeral)관절, 어깨가슴(scapulothoracic)관절과 이와 연관된 근육, 인대, 그리고 기타 연부조직들로 구성되어있다. 이 부위는 근육이 고정 될수 있는 안정적 기반을 제공하고 더불어 넓은 관절 가동범위를 가질 수 있도록 디자인 되어있다. 이런 디자인은 우리가 바이올린을 켜거나 다트를 던지는 등과 같이 복잡한 조절이 필요한 동작을 가능하게 하고, 100mph의 속도로 크리켓 공을 던지거나 200kg의 물체를 들어올리는 등의 큰 힘이 필요한 동작들도 수행 할 수 있게 한다.

팔이음뼈 복합체에 속한 연부조직요소들 중 어느 한 부위에라도 제한이 발생하게 되면 결국 비정상적인 동작과 통증이 야기될 수 있는데, 최소한 동작 수행의 감소, 최악의 경우에는 장애가 나타날 수도 있다. 캡슐과 인대가 팔이음뼈 제한의 원인이 될 수도 있지만, 이번 장에서는 근육과 힘줄조직의 제한에 초점을 맞추도록 하겠다. 팔이음뼈에는 약 16개의 독립적인 근육이 작용하며, 위팔어깨관절은 우리 몸에서 가장 넓은 관절 가동범위를 갖는다.

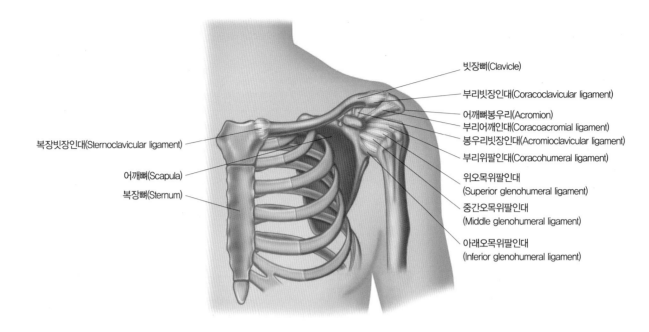

빗장뼈(Clavicle)
부리빗장인대(Coracoclavicular ligament)
어깨뼈봉우리(Acromion)
부리어깨인대(Coracoacromial ligament)
봉우리빗장인대(Acromioclavicular ligament)
부리위팔인대(Coracohumeral ligament)
위오목위팔인대
(Superior glenohumeral ligament)
중간오목위팔인대
(Middle glenohumeral ligament)
아래오목위팔인대
(Inferior glenohumeral ligament)

복장빗장인대(Sternoclavicular ligament)
어깨뼈(Scapula)
복장뼈(Sternum)

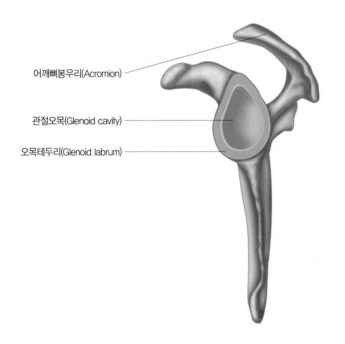

어깨뼈봉우리(Acromion)
관절오목(Glenoid cavity)
오목테두리(Glenoid labrum)

그림 2.1 팔이음뼈 복합체

팔이음뼈 복합체의 움직임(Movements of the Shoulder Girdle Complex)

팔이음뼈 복합체에서는 다양한 기본적인 뼈운동학적(osteokinematics) 큰 동작(gross movement)이 일어난다. 이러한 동작들은 몸통에 상대적인 팔의 위치를 통해 측정 또는 관찰되고, 위팔어깨관절의 가동범위로 표현된다. 이러한 동작들을 위해 관절 면 위에서의 관절운동학적 움직임과 어깨뼈 및 빗장뼈에서 일어나는 큰 동작(gross movement)이 함께 기여한다. 복합적인 근 활성 패턴의 결과로 일어나는 개별적인 동작들은 다양하고 통합된 패턴의 움직임을 이루어 팔이음뼈에게 유연성과 안정성을 제공한다. 이제, 임상에서 보게 될 팔이음뼈 복합체의 문제를 평가하고 치료하는데 필수적인 기본적 큰 동작과 관절운동학적 사항, 그리고 필수적인 통합운동 패턴에 대해 공부하고자 한다.

어깨의 관찰적 큰 동작(뼈운동학적 움직임)

빗장밑근(subclavius muscle)에 의한 빗장뼈의 내림을 제외한 모든 빗장뼈의 움직임은 팔이음뼈복합체 전체 움직임과의 상대적인 관계에 의해 결정된다. 그러나, 이 부위에 부착된 근육들에 제한이 있다면 팔이음 복합체의 최대 기능 수행에 영향을 미치게 된다.

표 2.1 위팔어깨관절의 움직임

굽힘(Flexion)	위팔 바깥돌림(External humeral rotation)
폄(Extension)	위팔 안쪽돌림(Internal humeral rotation)
가쪽굽힘(벌림) (Lateral flexion (abduction))	모음(Adduction)

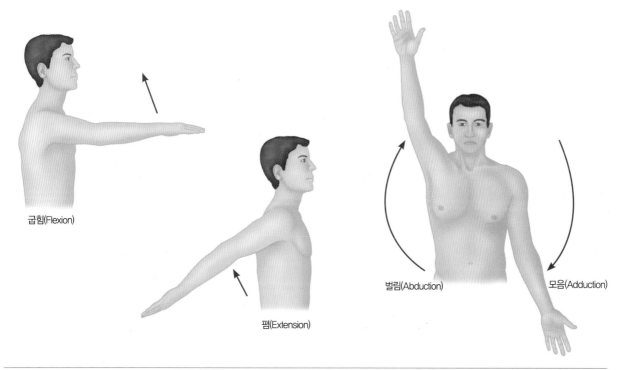

굽힘(Flexion)

폄(Extension)

벌림(Abduction)

모음(Adduction)

그림 2.2 위팔어깨관절의 움직임

표 2.2 어깨뼈의 움직임

내밈(벌림) (Protraction (abduction))	올림(Elevation)	위돌림(Upward rotation)
뒤당김(모음) (Retraction (adduction))	내림(Depression)	아래돌림(Downward rotation)

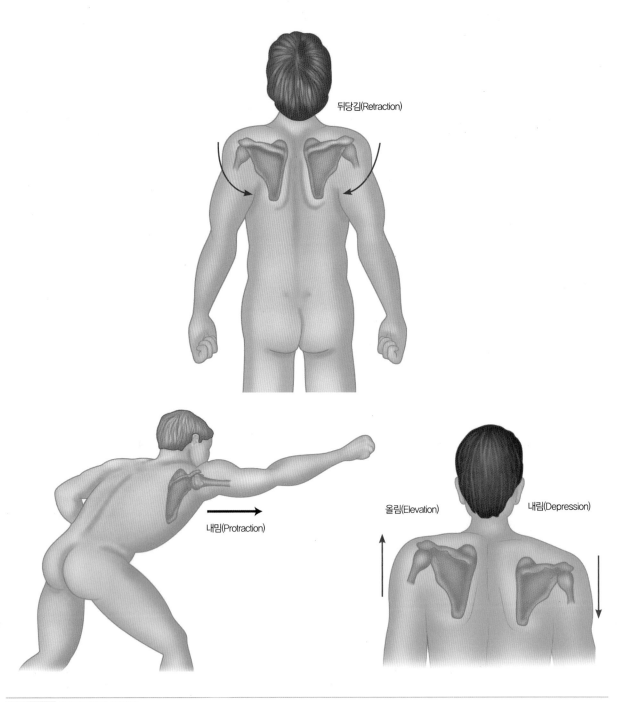

뒤당김(Retraction)

내밈(Protraction)

올림(Elevation)　　내림(Depression)

그림 2.2 팔이음뼈의 움직임

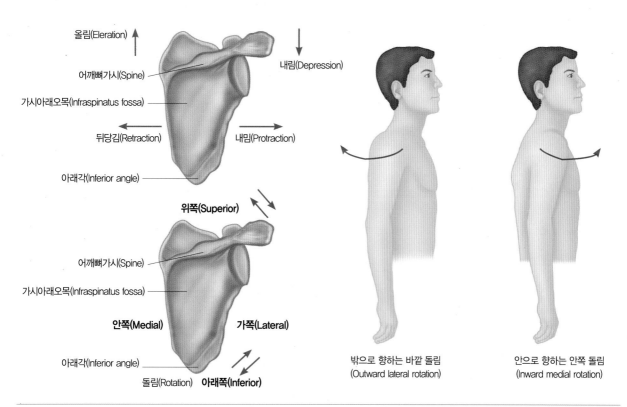

그림 2.3 팔이음뼈 동작

표 2.3 빗장뼈 움직임

올림(Elevation)	아래돌림(축돌림) (Downward rotation (axial rotation))	내밈(Protraction)
내림(Depression)	위돌림(Upward rotation)	뒤당김(Retraction)

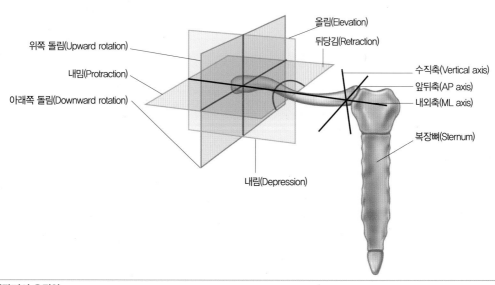

그림 2.4 빗장뼈의 움직임

필수적인 관절운동학적 움직임

관절면에서 일어나는 관절운동학적 움직임은 큰 동작 전반의 핵심적인 영향을 미치는 요소이다.

- **위팔어깨관절(Glenohumeral)**-위팔뼈머리(humeral head)와 어깨뼈의 관절오목(glenoid fossa) 사이의 관절이다. 위팔뼈가 어깨뼈의 면에서 벌림되는 동안, 위팔뼈머리는 아래방향으로 활주하며 가쪽돌림이 일어난다. 이런 관절움 직임 중 어느 하나라도 제대로 일어나지 않는다면, 부딪힘 현상(signs of impingement)이 나타날 수 있고, 봉우리밑 공간(subacromial space) 내에 있는 해부학적 구조물들이 위팔뼈머리에 의해 눌리는 느낌이 생길 수 있다.

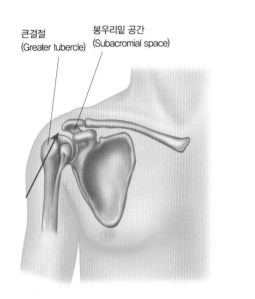
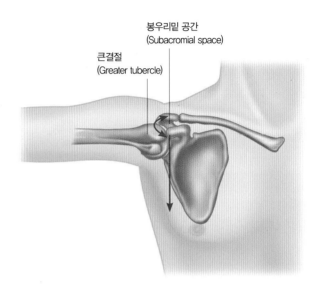

그림 2.5 위팔어깨관절의 관절운동학

- **복장빗장관절(Sternoclavicular)**-복장뼈(sternum)와 빗장뼈(clavicle) 사이. 빗장뼈의 움직임은 복장뼈패임(sternal notch)과 빗장뼈머리(clavicular head)사이의 관절운동학적 움직임에 의해 일어난다. 빗장뼈 내밈(Protraction)은 빗장뼈머리가 뒤쪽구름(posterior roll) 되면쪽 앞쪽으로 움직임에 의해 일어난다; 뒤당김(retraction)은 빗장뼈 머리 의 뒤쪽회전과 몸의 앞쪽 움직임과 함께 일어난다.

통합된(Integrated) 움직임

어깨위팔 리듬(Scapulohumeral Rhythm)

팔의 가쪽 올림-위팔어깨관절에서 관절운동학적 기전에 의해 좌우되는 필수적인 큰 동작으로, 어깨뼈와 빗장뼈의 움직 임이 동반된다. '어깨위팔 리듬(scapulohumeral rhythm)'이라 불리는 주요 동작 패턴이 일어나지 않는다면, 팔이음뼈 복 합체의 전체 동작(total movement)이 불가능하다. 어깨뼈 면에서 위팔뼈의 가쪽굽힘을 할 때 어깨뼈와 위팔뼈는 대략 1:2

의 비율로 움직여야 한다. 전체 180도의 팔이음뼈 복합체의 움직임은 어깨뼈의 60도 위쪽 돌림(upward rotation)과 위팔어깨관절의 120도 가쪽 굽힘에 의해 이루어진다. 비록 정확한 비율에 대한 다양한 의견들이 있지만, 이 패턴이 존재한다는 것에 대해서는 합의가 이루어져있고, 실제 임상에서 비정상적인 동작 패턴을 파악하기 위해 어깨위팔 리듬을 사용하고 있다.

　어깨뼈가 위쪽 돌림 할 때 빗장뼈의 올림이 반드시 동시 수반되어야 한다: 60도 어깨뼈 위쪽 돌림 동안 빗장뼈에서는 약 40도 올림이 발생한다. 이와 동시에, 특유의 굽은 형태를 이용해 움직임을 증가시키기 위해서는 빗장뼈는 뒤쪽으로 회전해야 한다.

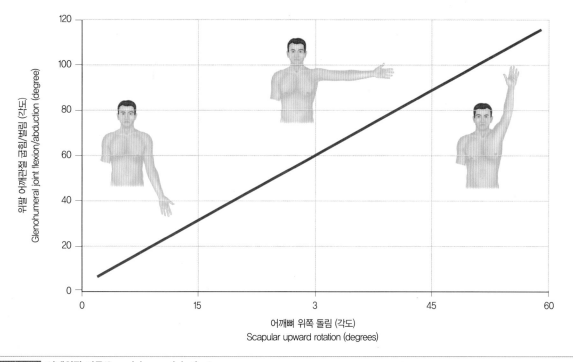

그림 2.6　어깨위팔 리듬(Scapulohumeral rhythm)

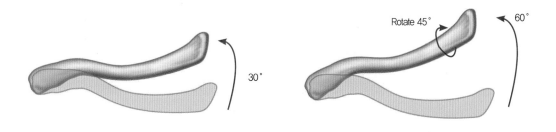

그림 2.7　빗장뼈 돌림(Clavicular rotation)

움직임을 위해 필수적인 근육 협동작용(Muscle Synergies)

이러한 팔이음뼈의 통합적 움직임의 한 부부으로, '짝힘(force couples)'을 만들어 내기 위해 근육 집단들은 서로 협동작용(work in synergy)을 한다. 근육집단 내 어느 근육이라도 제한이 생기면 짝힘의 균형에 영향을 미치게 된다. 이는 비정상적인 보상 운동을 발생시켜 연관된 구조에 장기적인 영향을 주고, 병적 상태와 동작 수행의 저하를 야기한다.

어깨뼈의 위쪽 돌림을 위해 아래등세모근(lower trapezius)의 활성과 더불어 위등세모근(upper trapezius)의 작용이 필요하며, 몸통에 대한 위팔 올림(humeral-trunk elevation) 전 범위 동안 앞톱니근(serratus anterior)은 전체 등세모근과 균형을 유지해야 한다.

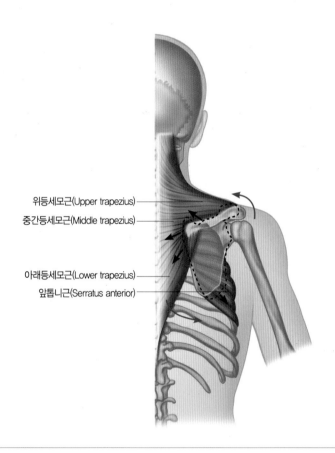

위등세모근(Upper trapezius)
중간등세모근(Middle trapezius)
아래등세모근(Lower trapezius)
앞톱니근(Serratus anterior)

그림 2.8 등세모근과 앞톱니근의 관계

어깨뼈의 아래쪽 돌림은 마름근(levator scapulae)과 함께 어깨뼈올림근(levator scapulae)의 당김에 의해 일어나는데, 만일 작은가슴근(pectoralis minor)이 균형적으로 작용하지 못한다면, 어깨뼈모음이 일어날 것이다.

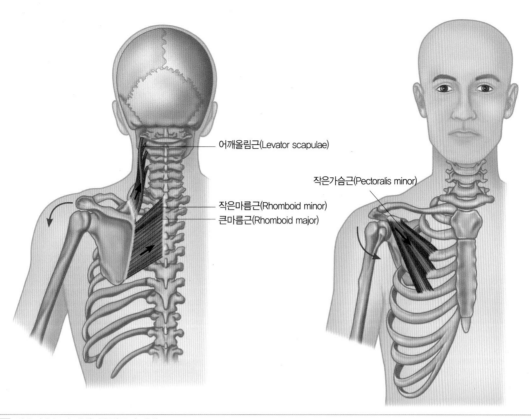

그림 2.9 작은가슴근과 어깨뼈올림근의 관계

돌림근띠(rotator cuff) 근육들은 이마면(frontal plane)에서 어깨세모근(deltoid)과 함께 작용하고, 수평면에서는 서로 상호적으로 작용한다. 이 근육들은 동작의 시작과 팔 벌림 시 관절의 안정성을 제공하는 역할을 한다.

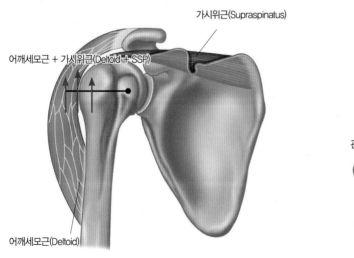

그림 2.10 어깨세모근과 가시위근의 관계

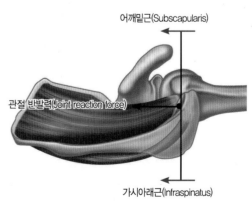

그림 2.11 돌림근띠(회전근개) 근육들의 관계, 두 근육의 관절반발력(JRF; joint reaction force)이 서로 함께작용한다.

팔이음뼈의 근육들

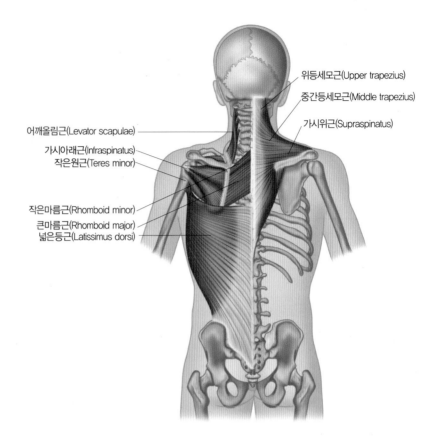

위등세모근(Upper trapezius)
중간등세모근(Middle trapezius)
가시위근(Supraspinatus)
어깨올림근(Levator scapulae)
가시아래근(Infraspinatus)
작은원근(Teres minor)
작은마름근(Rhomboid minor)
큰마름근(Rhomboid major)
넓은등근(Latissimus dorsi)

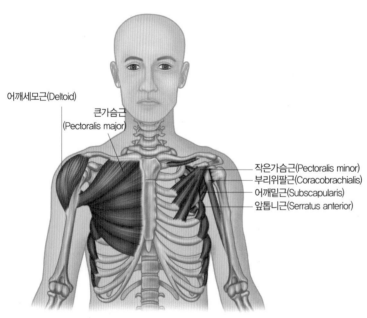

어깨세모근(Deltoid)
큰가슴근(Pectoralis major)
작은가슴근(Pectoralis minor)
부리위팔근(Coracobrachialis)
어깨밑근(Subscapularis)
앞톱니근(Serratus anterior)

그림 2.12 팔이음뼈의 근육들

표 2.4 팔이음뼈근육들에 의한 움직임

근육	위팔뼈의 운동					
	가쪽 굽힘(모음) Lateral flexion (abduction)	앞쪽 굽힘 Anterior flexion	폄 Extension	안쪽 돌림 Internal (medial) rotation	바깥 돌림 External (lateral) rotation	모음 Adduction
큰가슴근(빗장부) Pectoralis major (clavicular)		■		■		■
큰가슴근(복장부) Pectoralis major (sterno)				■		■
어깨세모근(앞) Deltoid (anterior)	■	■				
어깨세모근(중간) Deltoid (medial)	■					
어깨세모근(뒤) Deltoid (posterior)			■		■	
가시아래근(Infraspinatus)					■	
큰원근(Teres major)			■	■		■
작은원근(Teres minor)	▨				■	
가시위근(Supraspinatus)	▨					
어깨밑근(Subscapularis)				■		
부리위팔근(Coracobrachialis)		▨				
넓은등근(Latissimus dorsi)			■	■		▢
위팔세갈래근(Triceps)			■			
위팔두갈래근(Biceps)		▨				

근육	어깨뼈의 움직임					
	내밈(벌림) Protraction (abduction)	뒤당김(모음) Retraction (adduction)	내림 Depression	올림 Elevation	위돌림 Upward rotation	아래돌림 Downward rotation
큰가슴근(Pectoralis minor)	▨	▨	▨	▨		
등세모근(위) Trapezius (upper)		■		■	■	
등세모근(중간) Trapezius (middle)		■				
등세모근(아래) Trapezius (lower)		■			■	▢
어깨뼈 올림근 (Levator scapulae)				■		■
마름근(Rhomboids)		■				■
앞톱니근(Serratus anterior)	■			■	■	
넓은 등근 (Latissimus dorsi)			■			

기호설명(Key)	■ 주요한 역할(Primary role)	▨ 부수적 역할(Secondary role)	▢ 약간의 역할 가능(Possible role)

근육 제한이 팔이음뼈 복합체 동작에 미치는 영향

근육의 약화나 짧아짐, 손상, 또는 질병에 의해 유발된 병리학적 변화 등은 근육들이 정상적인 역할을 수행하지 못하게 한다. 이 장에서 우리는 완전한 움직임을 방해하는 근육과 관절복합체 주변 연부조직의 제한 들에 대해 언급하고 있다.

표 2.5 근육 제한이 팔이음뼈 동작에 미치는 영향

근육	제한의 영향
큰가슴근(Pectoralis major)	- 팔이음뼈 전체 가동범위를 제한할 수 있다. - 주요 제한은 위팔뼈의 긴 축을 중심으로 일어나는 가쪽돌림과 수평모음에 주로 나타남 - 빗장뼈에서 기시되는 근섬유의 제한은 가쪽돌림에 영향을 미치는 반면 복장뼈에서 기시되는 근섬유의 제한은 어깨의 벌림, 굽힘, 가쪽돌림에 주로 영향을 미침 - 특히 어깨뼈 뒤당김 근육들의 약화가 함께 있으면 어깨뼈 뒤당김 동작의 어려움이 생길 수 있음
작은가슴근(Pectoralis minor)	- 어깨뼈 올림근과 마름근의 짝힘 관계로 일어나는 움직임 조합에 영향을 준다. - 작은가슴근 아래로 지나는 팔신경얼기의 압박에 의해 가슴문증후군(thoracic outlet syndrome)을 야기 - '둥근어깨(rounded shoulder)'와 관련된 자세 이상
등세모근(위, 중간, 아래) Trapezius (upper, middle, lower)	- 위섬유 제한: 어깨가 올림 되고 머리와 목의 관절가동범위가 감소 - 중간섬유 제한: (흔하지 않지만) 어깨뼈의 벌림의 제한 - 아래섬유 제한: 이는 곳 부위의 등뼈의 휨과 짝힘(force couple)에 영향
앞톱니근(Serratus anterior)	- 어깨뼈의 위돌림의 감소, 이마면에서 머리위로 팔을 끝까지 들지 못함, 비정상적 어깨위팔 움직임과 위팔어깨관절에 스트레스 증가
어깨올림근(Levator scapulae)	- 목 돌림의 감소, 위 어깨뼈 안쪽부분의 올림(한쪽 어깨가 올라간것으로 보임), 위팔뼈의 가쪽굽힘 시 머리의 기울임이 나타남 - 마름근의 제한과 함께 '둥근어깨' 자세 야기
마름근(Rhomboids)	- 어깨올림근 제한과 함께 어깨위팔리듬에 영향을 주고 '둥근어깨' 자세 야기
빗장밑근(Subclavius)	- 복장빗장관절 올림의 감소, 어깨위팔리듬에 영향
어깨세모근(앞,중간,뒤) (Deltoid (anterior, medial, posterior))	- 앞 부위 제한: 폄 감소 - 중간 부위 제한: 위팔 가쪽 벌림시 위팔어깨관절의 활주(glide)감소, 위팔어깨관절의 스트레스 증가 - 뒤 부위 제한: 안쪽 돌림과 앞 굽힘의 감소
가시아래근(Infraspinatus)	안쪽돌림과 수평모음의 감소, 위팔어깨관절의 스트레스 증가
큰원근(Teres major)	가쪽돌림, 굽힘, 벌림의 감소, 위팔뼈 돌림이 감소와 어깨뼈의 가쪽(위) 돌림이 증가됨에 의한 '둥근어깨' 자세가 생기는데 기여
작은원근(Teres minor)	- 어깨의 안쪽돌림의 감소 - 가시아래근의 제한의 영향과 유사하나 상대적으로 영향이 덜함
가시위근(Supraspinatus)	아래쪽 이동(downward translation)또는 위팔 벌림시 위팔뼈 머리 위치에 잠재적인 영향
어깨밑근(Subscapularis)	어깨위팔 리듬, 비정상적인 위팔뼈 머리의 위치에 심각한 영향을 미치며, 수평모음과 가쪽돌림이 감소됨
부리위팔근(Coracobrachialis)	어깨의 폄과 벌림의 감소, 몸통 옆에 팔을 붙인 자세에서 어깨뼈의 기울임(tilting)(부리돌기의 내림)
넓은등근(Latissimus dorsi)	어깨의 가쪽돌림과 굽힘 제한, 갈비뼈들에 대한 어깨뼈 위치에 영향과 관련된 등척주의 굽힘의 어려움

팔이음뼈 복합체 제한이 스포츠와 일상생활에 미치는 영향

골프

최근 골프 스윙은 과거에 비해 더 많은 팔이음뼈의 회전을 요하는 경향이 있다. 골프스 윙하는 동안에 근육의 움직임의 진행을 요약한다면, 백스윙 동안에는 어깨가슴(scapulo-thoracic)－위팔어깨(glenohumeral)－등뼈(thoracic spine) 순의 움직임이 일어나고, 그 후 다운스윙과 팔로우스로우(follow-through)를 통해 위의 역방향으로 동작이 일어난다 (옮긴이의 해석 추가). 팔이음뼈에 어떤 제한이 생긴다면 아래와 같은 2가지 측면에 의해 경기수행의 질이 떨어지게 된다. 첫째로, 제한을 극복하기 위해 더 많은 근육 에너지가 필 요하다는 점인데, 이렇게 되면 18홀을 칠 때 더 피로하게 된다. 둘째, 효율적인 스윙을 위한 상체와 하체의 바른 정렬(align)을 갖추지 못하게 된다. 적절한 팔이음뼈의 움직임 없이는 머리를 공에 정확하게 초점을 유지하는 것조차 불가능하게 된다.

골퍼는 감소된 팔이음뼈 유연성을 허리의 회전으로 보상하게 되므로, 팔이음뼈에 제한이 아래로 허리까지 영향을 줄 수 도 있다; 이는 골퍼들의 허리통증을 설명할 수 있는 기전 중 하나이다.

표 2.6 골프스윙

스윙의 단계	주로 사용되는 상지 근육
백스윙	왼 어깨밑근, 오른 위등세모근 (Left subscapularis, right upper trapezius)
초기 다운스윙	왼 마름근, 오른 큰가슴근, 넓은등근 (Left rhomboids, right pectoralis major, latissimus dorsi)
가속	양쪽 큰가슴근 (Pectoralis major bilaterally)
타격	위팔굽힘근 활성증가, '굽힘근 터트림(flexor burst)'이라 함 (Increased forearm flexor activity, termed the 'flexor burst')
초기 팔로우스로우	양쪽 큰가슴근 (Pectoralis major bilaterally)
후기 팔로우스로우	왼 가시아래근, 오른 어깨밑근 (Left infraspinatus, right subscapularis)

Source: Adapted from A. McHardy & H. Pollard, 2005, 'Muscle activity during the golf swing', Br. J. Sports Med., 39, pp. 799-804.

수영

어깨의 부딪힘(shoulder impingement)은 수영선수들에게 흔하게 나타난다. 잠재적인 원인 중 하나는 '둥근어깨'(round shouldered) 자세를 유발하는 가슴 근육들(pectoral muscles)의 짧아짐이다. 이는 위팔뼈머리를 비정상적인 위치에 놓이게 하고, 팔 위로 젓기(overarm stroke) 동안 봉우리-빗장 부딪힘(acromioclavicular impingement)의 가능성을 증가시킨다.

자유형(front crawl)의 기본적인 움직임은 앞톱니근(serratus anterior)의 강한 수축을 통한 어깨뼈내밈(protraction)과 위돌림(upward rotation)이다. 안쪽 돌림은 작은원근에 의한 바깥돌림(external rotation)에 의해 균형이 잡혀야 하는 반면, 큰가슴근의 활성은 위팔뼈를 모음(adduct)과 폄(extend)시킨다. 이들 중 어느 한 근육에 발생한 제한은 효율적인 팔 젓기를 위해 필요한 협응동작에 영향을 미칠 것이다.

머리 빗기

대부분의 사람들에게 있어서 머리 빗기는 아주 단순한 작업이다. 그러나 팔이음뼈 근육에 어떠한 제한이라도 있다면 이 동작자체가 고통스럽고 때론 머리 빗기가 불가능 할 수 있다. 어깨밑근(subscapularis)의 제한은 위팔어깨관절의 안정성을 감소시키고 머리 빗을 동안 팔을 유지고 움직이는 데 영향을 미칠 것이다. 어깨-위팔리듬이 방해 받고, 머리 빗는 자세를 하는데 필수적인 위팔뼈의 가쪽돌림(lateral rotation)과 수평모음(horizontal adduction) 또한 감소되거나 불가능 해진다. 위팔로의 연관통증(pain referral) 패턴도 흔히 나타난다.

팔이음뼈(Shoulder Girdle)의 연부조직이완법(STR)

　우선 서거나 앉았을 때 환자의 자연스러운 자세를 관찰한다. 환자의 팔이음뼈와 어깨관절의 능동 관절가동범위를 확인한다. 수동 STR은 조직을 천천히 풀어주는데(warm-up) 좋은 방법이다; 하지만, 어깨 돌림과 같이 통증이 수반된 제한이 있는 부위에는 능동 STR을 권한다. 이 경우 치료사가 적절한 움직임 패턴 내의 범위를 통해 환자를 천천히 가이드 하므로, 환자가 수월하게 움직일 수 있다.

　어깨관절(shoulder joint)에 앞서 팔이음뼈 근육들에 STR을 수행하기를 권한다. 팔이음뼈 제한을 이완시키는 것은 위팔어깨관절 움직임의 조절과 범위를 향상시킬 뿐만 아니라 어깨뼈와 빗장뼈의 움직임도 향상시킬 수 있다.

옆으로 누운 자세에서 앞톱니근의 STR

1) 환자의 팔꿈치를 잡고, 넓은등근(latissimus dorsi)을 살짝 들어서 앞톱니근과 넓은등근 사이를 움켜쥔다; 팔을 수동적으로 벌려준다. 능동 STR을 시도하려면 대상자가 양손을 모은 상태로 유지한 채 스스로 팔꿈치를 들어올리도록 한다.
   - 앞톱니근과 넓은등근이 서로 가까이 붙지 않도록 분리시켜야 어깨뼈의 움직임이 향상된다.
   - 단지 작은 움직임만 요구 된다.

2) 팔꿈치를 잡고 근육의 표면을 가로질러 손 전체를 사용하여 CTM 고정을 적용한다. 그림과 같이 양손을 포개어 힘을 보강하여(enforced) CTM 고정을 적용한다; 환자에게 팔꿈치를 뒤로 움직여 어깨뼈를 뒤당김(retract) 시키라고 한다. 어깨뼈의 앞쪽 표면의 부착부위를 다루기 위해서는 CTM고정을 사용한다.

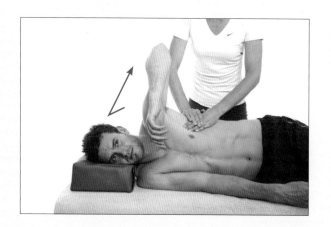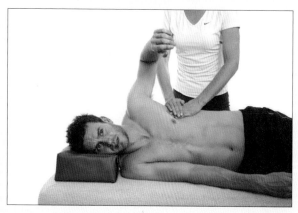

   - 갈비뼈를 누르지 않도록 조심한다; 가슴우리의 형태에 따라 손을 편하게 놓고 유지한다.

바로 누운 자세에서 앞톱니근의 STR

1) 그림과 같이 가볍게 주먹 쥔 손으로 갈비뼈의 표면을
   가로질러 앞톱니근의 안쪽을 향해 CTM 고정을 적용
   한다; 환자가 어깨뼈의 뒤당김(retract)과 어깨의 벌림
   (abduct) 하도록 한다.

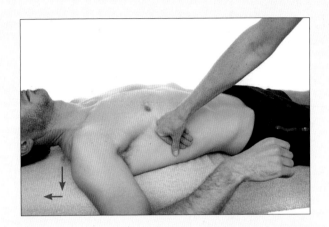

바로 누운 자세에서 큰가슴근의 STR

1) 어깨를 90도로 한 후, 대상자의 팔꿈치를 한 손으로 감싼다. 다른 손의 손바닥(heel of the other hand) 또는 손가락
   관절로 고정한다; 이 상태에서 어깨를 어깨를 수평 벌림(horizontally abduct)시킨다. 고정을 하기 전 어깨의 수평 모
   음을 시켜서 근육을 수축시키고, 더 큰 범위로 벌림 할 수 있도록 환자를 치료하는 쪽 팔이 침대 밖으로 걸쳐지도록
   침상의 끝에 위치시킨다. 1~2개의 손가락을 사용한 CTM고정으로 복장뼈 부착 부위를 이완시킨다.

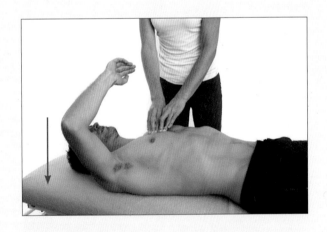 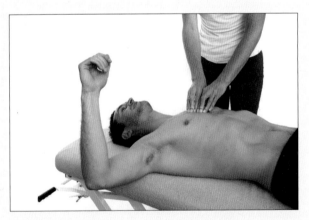

- 근육이 잘 발달된 사람들이라 할지라도, 이 곳은 매우 예민한 부위이므로, 내 속도가 너무 빠르지 않은지 주의
  한다.
- 여성에게 STR을 제공 할 때에는 옷이나 수건 위에 적용하는 것도 좋은 방법이다.

2) 어깨 90도 굽힘 상태에서 부드럽게 대상자의 손을 쥐고 반대손은 가볍게 쥔 주먹으로 큰가슴근의 빗장갈래(clavicular fibres)를 고정한다; 어깨를 가쪽 회전 시킨다.

 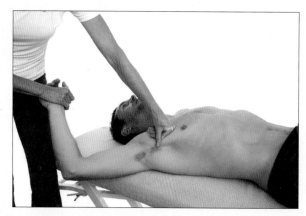

3) 큰가슴근의 닿는 곳(insertion)을 부드럽게 쥔다; 환자가 어깨의 굽힘 또는 수평 모음을 하게한다. 두갈래근 고랑(bicipital groove)의 닿는 곳에 CTM 고정을 적용한다; 최소의 신장(minimal stretch)을 하도록 대상자에게 지시한다.

 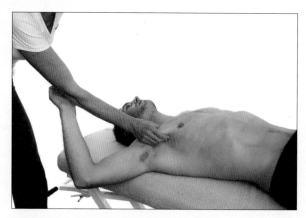

바로 누운 자세에서 작은 가슴근의 STR

1) 치료하기 전 큰가슴근이 이완되었는지 확인한다. 부리돌기 주위를 누르기 위해 손가락 관절의 넓은 면이나 손가락을 이용한다. 환자가 침대표면을 향해 능동적으로 어깨뼈 뒤당김(retraction) 하게 한다.

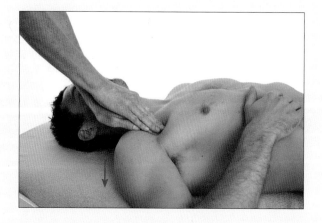

2) 치료사의 손가락들을 3번 째 갈비뼈 부착부를 향하여 천천히 큰가슴근 밑으로 넣고, 대상자가 어깨뼈를 뒤당김 하도록 한다. 손가락이 5번 째 갈비뼈를 향하도록 한 후 반복한다.

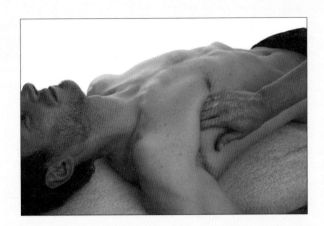 

- 저항이 강한 조직을 억지로 밀어 헤쳐 힘을 가하지는 않는다. 작은가슴근 섬유까지 닿도록 천천히 움직인다. 만약 조직이 너무 뭉쳐있으면 작은가슴근 깊이까지 가려던 시도를 멈추고, 가능한 깊이에서 STR을 수행한다.

누운 자세에서 빗장밑근(Subclavius)의 STR

1) 엄지손가락을 사용하여 빗장뼈로부터 아래로 CTM고정을 하기 위해 첫번째 손가락 마디(first phalange)를 사용한다. 환자에게 어깨뼈 올림(scapular elevation)하라고 한다.

엎드린 자세에서 아래등세모근의 STR

1) 아래 등세모근의 경계 밑으로 손가락을 걸고 대상자가 어깨를 들어올리도록 한다.
- '비록 등세모근의 이 부분은 잘 짧아지진 않지만, 경계부위에는 종종 제한이 생긴다. 이 부위에 유착이 없는 것이 확인되면 아래 섬유를 겨냥한 근력강화 프로그램이 가능 할 것이다.

앉은 자세에서 위등세모근의 STR

1) 세모근의 윗쪽 섬유를 부드럽게 쥔다; 환자에게 어깨뼈를 천천히 내리도록 지시한다.
2) 먼저 대상자에게 어깨를 으쓱하도록 시켜 근육을 수축하게 한다. 고정을 가하기 전에 이 근육 조직의 긴장을 낮추기 위해 대상자가 이렇게 하는 동안 어깨뼈나 팔꿈치를 굽혀 받쳐준다. 손가락을 사용하여 고정을 한다; 이 상태에서 대상자가 어깨뼈에 긴장을 풀게 하거나, 팔꿈치 밑은 바치고 있는 손을 향해 아래로 살짝 눌러보라고 시킨다.
3) 위등세모근의 앞쪽 섬유에 맞물린 어깨뼈 봉우리 부위를 고정 하고, 어깨뼈 가시를 C6/C7에서멀어지는 방향으로 CTM 고정을 적용한다.
- 페이지 38~39의 머리 움직임과 위등세모근의 STR 내용을 참고하라.

엎드린 자세에서 위등세모근과 어깨뼈올림근의 STR

1) 테이블의 머리맡에 서서 한 손으로 대상자의 어깨를 동그랗게 감싼다. 다른쪽 손바닥의 두툼한 부위(heel of the hand) 근육을 고정하고 어깨뼈 내림(depression) 되도록 어깨를 아래로 누른다.

2) 계속 테이블의 머리맡에 서서 이제 양손을 자유롭게 하고, 양쪽 엄지손가락들을 겹쳐 근육을 향해 아래방향으로 누른다. 어깨뼈 내림(depression)을 위해 환자의 손을 발을 향해 내리라고 지시한다.

3) 침상의 한쪽 옆에 서서, 한 손으로 대상자의 어깨를 감싸고 다른 손의 손가락을 근육에 걸어준다; 내림 방향으로 어깨를 당긴다.

   • 어깨 내림에 제한이 있다면 어깨를 억지로 안쪽 돌림 시키지 않도록 한다.

4) 테이블의 머리맡에 선다. 양쪽 엄지손가락을 겹쳐 (reinforced thumb) 어깨뼈올림근의 이는 곳(어깨뼈의 안쪽 위 각) 방향으로 위등세모근 깊이 고정한다; 어깨뼈 내림(depression)을 위해 환자의 손을 발을 향해 내리라고 지시한다.

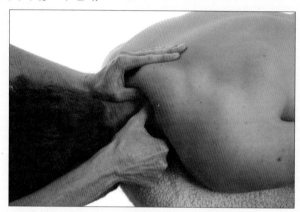

앉은 자세에서 어깨뼈올림근 STR

1) 위등세모근이 적당히 풀어져 있는지 확인한다. 한 손으로 어깨뼈의 아래각을 감싸쥐고 다른 손으로 어깨뼈를 올린다(elevation). 여러 손가락이나, 보강된 손가락 마디(reinforced phalange)로 어깨뼈올림근의 부착면(어깨뼈 앞위각)을 깊게 눌러준다. 이상태에서 부드럽게 어깨뼈를 내린다.

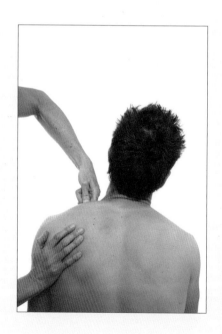

2) 같은 방법으로 등세모근의 앞쪽 섬유의 밑으로 어깨뼈올림근을 고정한다. 이 방법은 통증이 있을 수 있으므로 천천히 하는 것이 중요하다. 억지로 제한을 넘어서 힘을 가하지 않아야 한다.

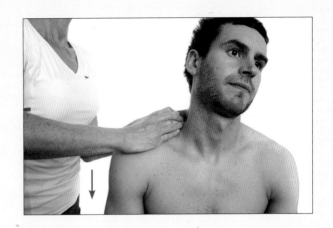

- 어깨뼈올림근을 다루기 전에 위등세모근의 섬유의 긴장이 풀어져있어야 한다.
- 머리 움직임과 함께 어깨뼈올림근에 좀 더 강도 높은 STR을 적용하는 방법은 페이지 40을 참고할 것.

옆으로 누운 자세에서 어깨뼈올림근과 위등세모근의 STR

1) 손가락으로 위등세모근 섬유를 고정하고 부드럽게 어깨뼈를 내려준다.

앉은 자세에서 중간세모근과 마름근의 STR

1) 한 손으로 환자의 빗장뼈를 지지하고, 가볍게 쥔 주먹이나, 손바닥의 두툼한 부위 또는 팔꿈치를 이용하여 근육에 넓은면 고정(broad surface lock)을 한다. 필요한 만큼 어깨뼈 내밈이나 회전을 시키기 위해 환자에게 팔을 앞쪽 또는 몸을 가로지르는 방향으로(그림과 같이)움직이도록 지시한다.

2) 손가락관절, 보강된 엄지, 보강된 손가락, 팔꿈치 등을 사용하여 깊게 고정한다. 어깨뼈의 안쪽 경계를 고정하고 점차 이로부터 먼 쪽으로 고정해나간다. 가시돌기부위를 고정하고 이곳에서 먼 쪽으로 향하여 고정해간다. 환자에게 어깨뼈를 내밀도록 지시한다.

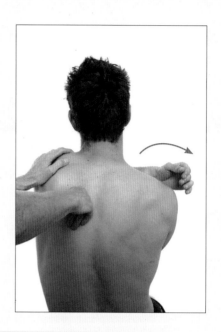

- 방향이나 고정을 다양하게 시도한다. 가시돌기(C7-T6) 에서부터 어깨뼈까지 V형태로 활주하는 등세모근 섬유의 방향과, 등세모근으로부터 사선으로 질주하는 깊은 마름근의 섬유방향을 고려해야 한다.
- 어깨뼈의 특정 움직임을 촉진하기 위해 팔을 굽힌 상태에서 앞쪽으로 조금 내미는 동작으로부터 몸통 앞쪽으로 팔을 가로지르는 넓은 동작에 이르기 까지 다양한 팔 동작을 시도한다.

엎드린 자세에서 중간등세모근과 마름근의 STR

1) 엎드린 자세에서 어깨뼈의 수직경계로부터 멀어지도록 고정하기 위해 환자가 테이블을 향하여 능동적으로 내밈 하는 동안 세밀한 CTM 고정(subtle CTM locks)한다. 고정을 유지한 상태에서 방향, 깊이, 속도 등을 결정할 때 조직의 느낌을 신중하게 관찰한다면 아주 작은 어깨뼈 움직임으로도 빠른 이완을 제공 할 수 있다.
- 더 큰 관절가동범위를 확보하려면 대상자가 그의 어깨뼈를 내밈 할 때 팔이 테이블에 걸리지 않고 자유롭게 움직일 수 있도록 테이블 한쪽 끝 가까이 위치시키도록 한다.

옆으로 누운 자세에서 중간등세모근과 마름근의 STR

1) 양쪽 엄지손가락을 겹쳐서 이 근육을 고정한다. 어깨뼈를 내밈(벌림)하기 위해 대상자에게 팔을 수평 모음(horizontal adduction) 하도록 시킨다.
- 이 자세는 깊은 척주세움근 이완으로 진행하기 위해서 좋은 자세이다.

앉은 자세에서 어깨세모근의 STR

1) 대상자를 침상의 한쪽 끝에 앉히고 어깨 세모근의 중간섬유들을 향해 선다. 대상자에게 어깨를 90도 벌리라고한다. 한손으로 대상자의 위팔 전체를 잡고 보강된 엄지손가락으로 빗장뼈로부터 멀어지도록 아래방향으로 고정한다. 이 상태에서 환자에게 어깨 모음 하라고 지시한다.
2) 뒤쪽섬유(posterior fibres)에 STR하려면, 치료사는 테이블의 뒤쪽에 서서 대상자가 어깨를 굽힘 할 때 빗장뼈로부터 멀어지도록 고정하고; 앞쪽 섬유에 STR을 할때는 환자가 어깨를 펴는 동안 환자 앞에 서서 실시한다. 움직임의 편의를 위해 팔꿈치 굽힘을 유지한다.

옆으로 누운 자세에서 어깨세모근의 STR

1) 침상 머리맡에 선다. 대상자에게 팔꿈치 굽힌 상태를 유지한 채 어깨를 벌림 하도록 한다. 양손으로 어깨를 감아 쥐고 두 손을 모아 보강된 엄지로 빗장뼈에서 중간 어깨세모근의 섬유 방향으로 고정한다. 환자가 어깨 모음 하는 동안 고정을 유지한다.

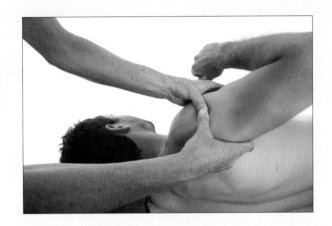

2) 테이블의 옆에 선다.
   손가락을 부드럽게 앞 세모근섬유(anterior fibres)에 걸고 세모근 거친면(deltoid tuberosity)을 향해 고정한다. 대상자에게 팔꿈치를 굽힘을 유지한 채 어깨를 폄 하도록 한다. 앞 섬유를 고정을 하고 환자에게 어깨를 가쪽 돌림 하라고 한다.

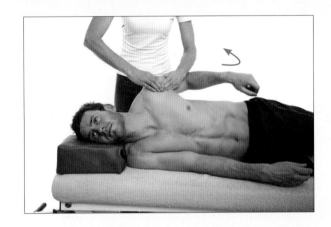

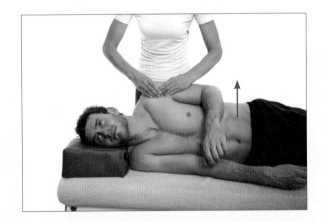

3) 보강된 엄지(양쪽 엄지를 겹쳐)를 사용하여 어깨세모
근의 뒤 섬유를 치료한다; 환자가 팔꿈치 굽힘을 유
지한 상태에서 어깨를 굽히게 한다.

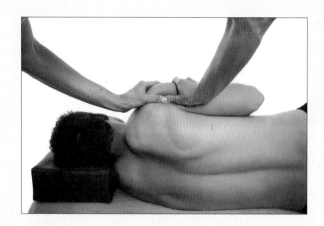

누운 자세에서 어깨세모근 앞 섬유(Anterior deltoid)의 STR

1) 테이블의 머리맡에 서서 환자의 손을 쥐고 팔꿈치와
어깨를 90도로 하게한다. 손가락을 사용하여 앞세모
근을 비스듬히 가로질러 고정 하고, 환자의 어깨를
바깥돌림 한다. 환자 스스로 능동적으로 움직일 수
도 있으나, 이때 수동 STR을 적용하는 것이 더 편안
한 이완을 제공한다.

   • 고정을 너무 깊게 하지 않는다.

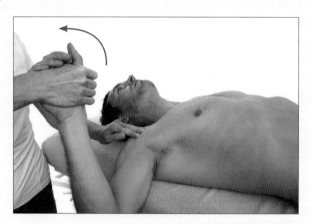

엎드린 자세에서 가시위근의 STR

1) 위등세모근의 섬유가 이완되어 있는지 확인한다. 테이블의 머리맡에 서서 대상자의 어깨를 90도 벌림시킨다. 양쪽 엄지
손가락을 겹쳐서 등세모근을 통해 가시위근으로 천천히 깊은 고정을 적용한다. 환자에게 어깨 모음 하도록 지시한다.

   • 어깨뼈 봉우리 가까이와 어깨뼈 위 각 가까이에 고정을 한다.

앉은 자세에서 가시위근의 STR

1) 위등세모근이 이완 되어있는지 확인한다. 대상자의 어깨를 90도 벌림 시킨다. 등세모근 위(top)쪽을 손가락으로 감싼다; 다른 손의 손가락을 겹쳐 힘을 보강하여 가시위근을 천천히 깊게 고정한다. 대상자에게 어깨를 모으게 한다.

   - 너무 강한 힘을 가해 조직이 짓눌리지 않도록 한다: 손가락 끝으로 살짝 뽑아 올리듯이 한다. 만일 어깨세모근이 너무 치밀하고 단단하여 짧은 자세(shortened position)에서의 고정이 어려운 상황이라면, 고정 전 어깨를 벌림 시키지 않는다. 환자의 팔을 몸통의 측면으로 밀면서 어깨 모음 시키면 약간의 신장이 가능한 상태로 STR을 실시할 수 있다.

2) 어깨뼈봉우리를 어깨세모근 깊은 섬유까지, 즉 힘줄 부착부의 표면을 향해 아래쪽으로 내리기 위해 CTM 고정을 사용한다: 환자의 팔을 몸통의 측면으로 어깨 모음 시킨다.

   - 어깨를 안쪽 돌림 시키면 힘줄이 드러나기 때문에 근육을 찾기가 쉬워진다.

엎드린 자세에서 아래가시근과 작은원근의 STR

1) 테이블의 머리맡에 서서 대상자의 어깨를 90도로 벌림시킨다. 보강된 엄지나 보강된 손가락으로 가시아래근 섬유를 가로질러 CTM고정한다. 대상자에게 어깨를 안쪽 돌림 하도록 한다. 이 부위는 3~4회 나누어 고정을 하는데, 그 중 한번은 근육의 이는 곳인 큰결절(greater tubercle) 가까이(어깨 세모근의 밑)에 적용해야 함을 명심한다.

   - 이 부위는 매우 민감한 부위이며, 이 부위의 근육 고정 때론 통증유발점(trigger point)이 되기도 한다. 서두르지 말고 대상자에게 각 고정 사이에 휴식을 제공한다.

누운 자세에서 어깨밑근의 STR

1) 테이블의 옆에 서서 대상자의 팔을 수평으로 90도 벌리게 하고 팔꿈치를 굽힌다. 보강된 손가락들(반대편 손의 손가락들을 겹쳐서)을 사용하여 천천히 어깨뼈의 앞 표면에 있는 어깨밑근에 CTM 고정을 적용한다. 대상자에게 어깨를 가쪽 돌림 하게 한다.

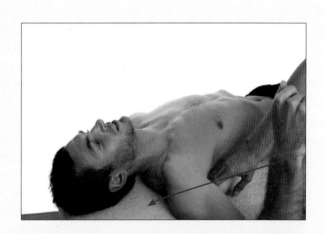

2) 대상자의 팔을 몸 옆에 붙인 상태로 어깨밑근의 이는 곳의 힘줄에 CTM 고정을 적용한다. 앞세모근 깊이 있는 위팔두갈래근의 힘줄 사이 작은결절(lesser tubercle)에서부터 멀어지도록 고정한다; 대상자에게 어깨를 가쪽 돌림 하도록 지시한다.

옆으로 누운 자세에서 넓은등근과 큰원근의 STR

1) 넓은등근이 위팔뼈로 모여지는 곳에서 넓은등근의 경계를 부드럽게 잡는다. 환자에게 어깨를 벌림 하도록 한다.

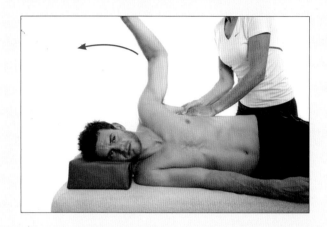 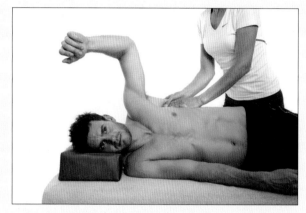

- 이들 근육의 이는 곳인 어깨뼈 아래각(inferior angle) 근처를 고정해야 하는데, 이는 어깨뼈의 움직임을 촉진하는데 도움이 될 것이다.
- 넓은등근이 유연한(flexible) 사람은 국소부위의 신장(lengthening)을 잘 느끼지 못한다.
- 넓은등근의 경계를 느껴보도록 하고, 더 신장 시키기 위해 가쪽 돌림을 추가한다(환자의 손을 그의 머리 위에 놓도록 지시한다).

2) 허리뼈까지 쭉 내려 오며 여러번으로 나누어(옮긴이) 고정한다. 손가락으로 근육의 가쪽 경계 아래로 감아 걸치고, 등허리근막을 이완시키기 위해서 CTM 고정을 사용한다.

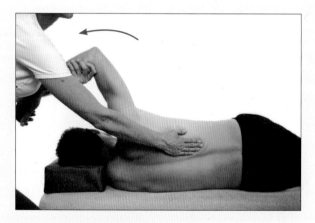

   - 뒤엉덩뼈능선 근처까지 실시한다.
   - 아래 세 개의 갈비뼈의 이는 부위를 고정할 때, 어깨를 벌리면서 조직의 움직임을 느끼도록 한다.

3) 근육을 고정하면서 대상자에게 능동 어깨 벌림을 하도록 가이드 한다. 손목과 팔꿈치 관절을 굽혀 치료대 머리 쪽에 놓은 상태(유지)로 능동 벌림을 수행한다면 더 정밀하게 이 근육들을 신장시킬 수 있다.

   - 어깨뼈 위 의 이는 곳에 CTM 고정을 사용한다.
   - 이 두 근육의 이는 곳에 STM을 적용하기에 이 자세가 가장 좋다. 넓은 등근의 부착부와 큰원근을 고려해야 하는데, 더 많은 신장을 가하기 위해 능동 가쪽 돌림을 추가한다.

엎드린 자세에서 넓은등근과 큰원근의 STR

1) 손 전체(whole hand), 약간 컵모양으로 오무린(slightly cupped) 손, 가볍게 쥔 주먹 등으로 넓은등근에 넓은면 고정 (broad surface lock)을 한다. 환자가 어깨를 벌리도록 한다. 어깨뼈의 부착면에 실시하고, 근육의 힘살(belly)뿐만 아니라 가족 경계부위도 고려한다.

2) CTM고정을 수행하기 위해 가시돌기의 이는 곳 근처에 손가락 관절을 사용한다(knuckle, 즉 손가락관절이란 각 손가락의 PIP 관절을 굽히면 등쪽이 튀어나는 부위를 뜻한다-옮긴이). 환자가어깨를 벌리도록(abduct) 한다. T6부터 엉덩뼈능선까지 내려오면서 여러 차례 수행한다.

누운 자세에서 부리위팔근(Coracobrachialis)과 위팔두갈래근의 긴갈래(Long head)와 짧은갈래(Short head)의 STR

1) 한 손으로 대상자의 굽힘 된 팔꿈치를 감싸 쥐거나 손목을 쥔다. 어깨를 굽혀서 들어올리고 손가락으로 어깨 앞의 힘줄을 고정 한다. 부리돌기에서부터 먼 쪽으로 부리위팔근을 가로질러 고정을 적용하고 환자의 어깨를 펴기 위해 수동적으로 팔꿈치를 내린다(어깨폄). 같은 방법으로 위팔두갈래근에도 고정을 적용한다; 두 개의 힘줄 사이를 구분하기 위해 CTM 고정을 사용한다.

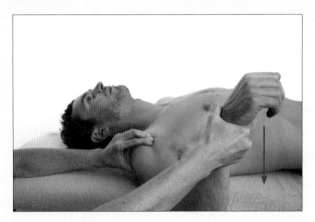

- 부리위팔근의 위치를 더 쉽게 찾기 위해 어깨 모음을 시켜본다.
- 위팔 두갈래근의 긴갈래를 찾기 위해 어깨 가쪽 돌림을 시켜본다.
- 환자의 어깨가 치료대 한쪽에서 바깥쪽으로 걸쳐지도록 침상에 위치시킨다. 대상자가 능동으로 어깨를 펼 때 힘줄의 사이를 잡고 부드럽게 뽑듯이 앞으로 빼준다(tweeze).

옆으로 누운 자세에서 위팔 세갈래근의 긴갈래(Long head)의 STR

한 손으로 대상자의 굽혀진 팔꿈치를 쥔다. 위팔세갈래근의 긴갈래의 이는 점(origin)으로부터 멀어지는 쪽으로 고정 한다; 어깨를 굽힘 방향을 움직인다.

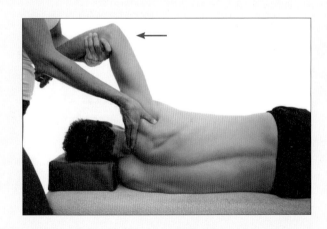

CHAPTER

03

팔꿉관절

위팔 부위의 일부분인 팔꿉관절은 어깨부위 또는 손목과 공통근육(common muscle)들이 많으므로 임상에서는 발꿈치 근육들을 상지 근육사슬의 일부분이라는 개념을 가지고 검사해야 한다. 어느 공통근육에 발생한 제한이 팔꿉관절 동작에 미치는 영향은 어깨와 손목에 미치는 영향과 다를 것이다.

팔꿉관절은 아래팔의 자뼈(ulna)와 노뼈(radius), 위팔뼈(humerus)로 이루어 지며, 관절낭과 안쪽, 바깥쪽 곁인대들(collateral ligament)로 구성되어있다. 자뼈와 노뼈의 몸쪽(proximal) 부위와 위팔뼈의 먼쪽 구조는 팔꿉관절을 단지 단순한 경첩관절(hinge joint)을 넘어서 중쇠경첩관절(trochoginglymus joint)로 불리게 한다.

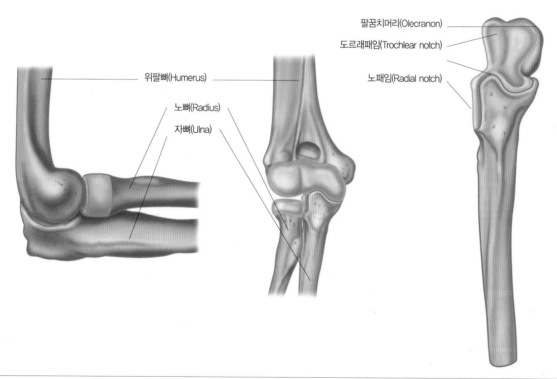

팔꿈치머리(Olecranon)
도르래패임(Trochlear notch)
노패임(Radial notch)

위팔뼈(Humerus)
노뼈(Radius)
자뼈(Ulna)

그림 3.1 **팔꿉관절의 구조**

팔꿉관절의 움직임

중쇠경첩관절인 팔꿉관절은 위팔뼈 관절면 위에서 굽힘과 폄뿐 아니라 약간의 안쪽과 바깥 돌림노 가능하다. 엎침(pronation)과 뒤침(supination)은 정확히 말해서는 노자관절에서 일어나는 동작들이지만, 팔꿉관절의 중요한 움직임이다.

최대 굽힘은 일반적으로 140도에서 150도 사이이다. 때때로 과운동성 증후군(hypermobility syndrome)을 가진 사람들은 팔꿉관절의 폄이 현저하게 증가되어 과다 폄(과 신전; hyperextension)이 되기도 하지만, 대부분의 사람들에게서 폄은 제한되어 있다. 비록 몇몇 연구들에서 굽힘이 일어날 때 운반각도(carrying angle)가 감소한다고 했지만, 굽힘과 폄은 하나의 고정된 축에서 일어난다고 본다.

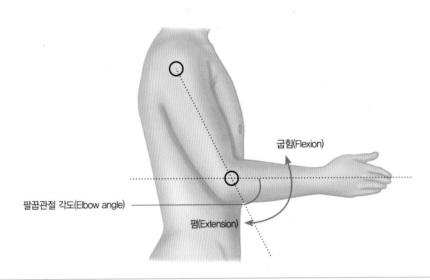

그림 3.2 팔꿉관절의 관절가동범위

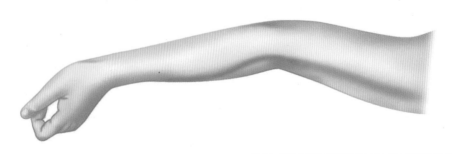

그림 3.3 팔꿉관절의 과다폄(Elbow hyperextension)

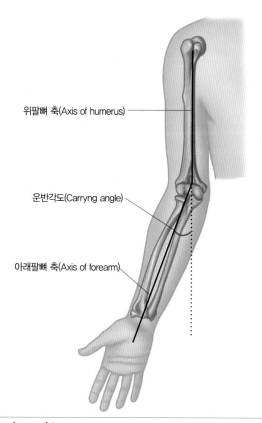

위팔뼈 축(Axis of humerus)

운반각도(Carryng angle)

아래팔뼈 축(Axis of forearm)

그림 3.4 **운반각도(Carrying angle)**

 엎침과 뒤침은 노뼈와 자뼈의 상대적 회전에 의해 이루어진다. 자뼈는 고정되어 있는 것으로 보이고 먼쪽 노뼈가 그 주변을 움직인다. 움직임의 축은 고정되어 있을 것으로 생각되며 노뼈 오목 선(line of the radial fovea) 을 지난다. 자뼈의 더 복잡한 복합적 움직임이 있다고 제안되기도 하지만, 엎침과 뒤침의 추가적인 움직임을 입증할 증거는 부족하다.

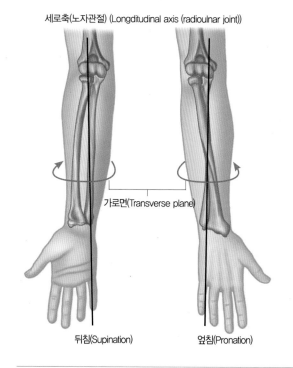

세로축(노자관절) (Longditudinal axis (radioulnar joint))

가로면(Transverse plane)

뒤침(Supination)   엎침(Pronation)

그림 3.5 **뒤침과 엎침**

팔꿈관절의 근육

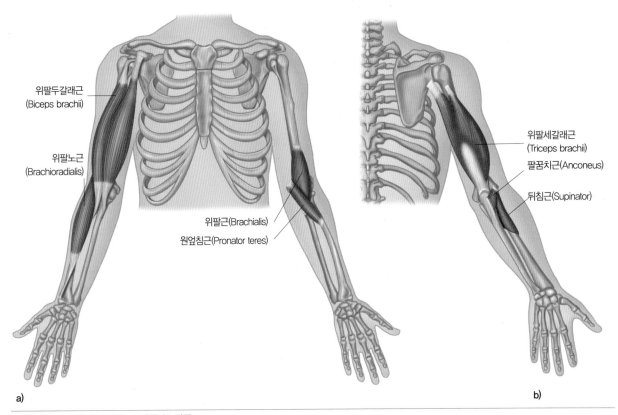

위팔두갈래근 (Biceps brachii)

위팔노근 (Brachioradialis)

위팔근(Brachialis)

원엎침근(Pronator teres)

위팔세갈래근 (Triceps brachii)

팔꿈치근(Anconeus)

뒤침근(Supinator)

a)

b)

그림 3.6 팔꿈관절 근육; a) 앞쪽, b) 뒤쪽

표 3.1 **팔꿈관절에서 근육 움직임**

근육(Muscles)	팔꿈관절의 움직임(Movement of the elbow)			
	굽힘	폄	뒤침(Supination)	엎침(Pronation)
위팔두갈래근(Biceps brachii)	■		■	
뒤침근(Supinator)			■	
위팔근(Brachialis)	■			
위팔세갈래근(Triceps brachii)		■		
위팔노근(Brachioradialis)	■		▨	▨
팔꿈치근(Anconeus)		약함		
원엎침근(Pronator teres)	▨			

기호설명표(Key)	주요한 역할(Primary role)	부수적 또는 약한 역할(Secondary or weak role)	기여 가능(Possible role)

표 3.2 근육제한(Muscle restrictions)이 팔꿈관절 움직임에 미치는 영향

근육(Muscle)	근육 제한의 영향
위팔두갈래근(Biceps brachii)	팔꿈관절의 폄과 엎침 감소. 이관절근(two joint)이기 때문에 근육의 강직은 어깨와 팔꿈관절 움직임의 상호관계에 영향을 미침. 어깨 폄 자세에서는 팔꿈관절의 폄이 감소됨; 반대로 어깨 굽힘 자세에서 팔꿈관절의 ROM이 증가됨.
위팔근(Brachialis)	일관절근(single-joint muscle)이기 때문에, 팔꿈관절 폄이 감소될 것임(어깨와 관련없음).
뒤침근(Supinator)	뒤침근의 짧아짐은 뒤침근 뿐아니라, 위팔두갈래의 짧아짐과 함께 동반되는 경우가 많다. 아마도 팔꿈관절 폄과 엎침이 함께 감소될 것임.
위팔세갈래근(Triceps brachii)	팔꿈관절 굽힘 제한과 약간의 어깨 앞쪽 올림(anterior shoulder elevation) 감소. 테니스팔꿈증과 연관될 수 있다.
위팔노근(Brachioradialis)	팔꿈관절 폄 감소.
팔꿈치근(Anconeus)	영향이 알려져 있지 않음.
원엎침근(Pronator teres)	팔꿈관절 굽힘과 아래팔 뒤침의 감소. 팔꿈관절과 위쪽 먼쪽 노자관절(superior distal radioulnar joint)에서 기시하고 정지하기 때문에, 이 근육의 제한의 영향은 관절들의 상대적인 위치에 따라 달라지며, 팔꿈관절을 펼때 뒤침이 감소된다.

스포츠와 일상생활에서의 팔꿈관절 제한의 영향

테니스

　팔꿈관절 폄근(세갈래근)의 제한은 여러 측면에서 테니스 치는데 잠재적인 영향을 줄 수 있다. 서브를 시작할 때 0.2초 동안 120도(폄) 상태에서 20도까지 팔꿈관절을 굽히는 것으로 추정된다. 세갈래근의 과다한 긴장(tension)은 서브자세로 팔을 뒤로 움직이는 능력을 낮추어, 서브의 속도와 힘 둘 다에 영향을 미치게 된다. 팔꿈관절과 어깨의 긴장(tightness)에 의해 테니스의 라켓을 잡은 팔을 백핸드 자세로 옮기는 동작 또한 저하될 수 있으며, 다른 부분에 부상 가능성을 높일 수도 있다. 예를 들어 필요한 만큼의 회전을 얻기위해 허리를 사용해야하므로 허리에 손상이 나타날 수 있다. 서브에서 팔로 스루(follow-through: 서브의 마무리 동작으로 팔을 앞으로 쭉 뻗는것)는 어깨의 안쪽 돌림과 팔꿈관절의 빠르고 강한 엎침에 동반된다. 윗팔세갈래근의 제한은 팔을 팔로 스루에 영향을 주고, 과사용 손상(overused injury)의 가능성을 높인다.

크라운 그린과 라운볼(Crown Green and Lawn Bowls): 잔디 위에서 하는 특별한 볼링

볼링에서 성공적으로 공을 굴리기 위해서는 올바른 팔 동작이 필수적이다. 어깨와 팔꿉 관절을 가로지르는 이관절근(two-joint muscle)의 특성 때문에 위팔 두갈래근의 제한은 백스윙을 방해한다. 또한, 이 위팔 두갈래근의 제한은 팔꿉관절의 부드럽고 완전한 폄(full extension)을 제한하여 공을 앞으로 보내는 데에도 영향을 준다.

씻기와 옷입기

팔꿉관절 굽힘과 폄 근육 제한에 의해 기본적인 일상생활 동작들이 크게 제한될 수 있다. 위팔세갈래근 제한이 있으면 어깨와 팔꿉관절 굽힘이 제한되어 따라 머리를 감고 겨드랑이를 씻는 일조차 불가능 해 질 수 있다. 최악의 경우에는 먹는 것도 어려워진다. 위팔세갈래근의 구축은 셔츠와 코트를 입는 것을 더 매우 어렵게 한다.

팔꿈관절의 STR

우선 앉아있을 때와 서있을 때 대상자의 팔꿈관절 상태를 관찰한다. 굽힘, 폄, 엎침, 뒷침의 관절가동범위를 체크한다.

바로 누운 자세에서 위팔두갈래근(Biceps brachii)과 위팔근(Brachialis)의 STR

1) 대상자의 팔을 굽힌 채로 위팔두갈래근 근복의 양쪽을 잡는다; 치료사가 수동적으로 팔꿈관절의 폄과 동시에 엎침을 시키거나, 대상자에게 스스로 팔꿈관절을 폄과 동시에 엎침 하도록 한다. 부리돌기(coracoid process)로부터 떨어진 위팔두갈래근 짧은갈래 힘줄에 CTM 고정을 적용하기 하기 위해 손가락을 사용하고 환자에게 스스로 팔꿈치를 펴면서 엎침을 하라고 지시한다. 결절사이고랑(intertubercular groove)에서 위팔두갈래근 긴갈래를 고정하기 위해 손가락을 사용한 상태에서. 대상자에게 팔꿈관절의 폄과 동시에 엎침을 하라고 한다.

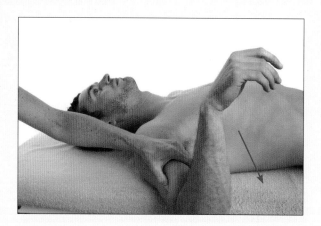

2) 팔꿈관절 굽혀서 뒤침한 상태에서 두갈래근널힘줄(bicipital aponeurosis)을 가로질러 CTM 고정을 부드럽게 적용한다. 대상자에게 팔꿈관절을 펴면서 엎치거나 업침을 하라고 한다.

3) 팔꿈관절을 구부린 자세에서 위팔근(brachialis)을 위해 위팔두갈래근을 깊이 고정한다. 대상자에게 팔꿈관절을 펴라고 한다.

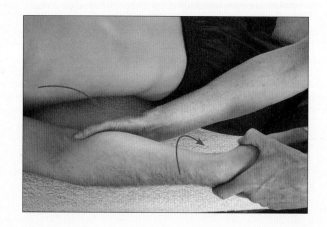

바로 누운 자세에서 위팔노근(Brachioradialis)의 STR

1) 대상자의 팔꿈관절을 굽히고 엄지를 위쪽으로 향한 상태(중립자세)에서 어느 한쪽의 위팔노근을 잡는다; 환자에게 엄지를 위로 향한 채로 팔꿈치를 펴라고 지시한다. 근육 자체를 고정하고 같은 동작을 수행하도록 한다.

2) 팔꿈관절을 뒤침한 채로 그 근육을 고정하고 환자에게 팔꿈관절을 엎침하도록 한다. 그 후 팔꿈관절을 엎침한 채로 근육을 고정하고 대상자에게 팔꿈관절

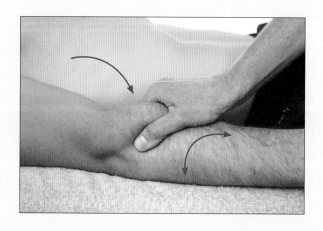

을 뒤침하도록 한다.

- 위팔노근의 휴식시 근육긴장도 에 따라, STR을 팔꿈관절의 굽힘 상태 또는 폄 상태에서 적용할 수 있다(팔꿈관절 굽힘은 근섬유를 짧게하는 것을 고려할 것). 팔꿈관절 폄을 뒤침과 엎침과 결합하여 시도해 보길 권한다.

엎드린 자세에서 위팔세갈래근(Triceps brachii)의 STR

1) 어깨와 팔꿈관절을 90도에 놓고, 한쪽 위팔세갈래근을 잡는다; 환자에게 팔꿈관절을 구부리라고 한다. 팔꿈치 머리돌기로부터 먼쪽으로 고정하기 위해 다른 손가락을 겹쳐 보강된 엄지손가락(reinforced thumb) 사용한다; 대상자에게 팔꿈관절을 구부리게 한다.

바로 누운 자세에서 위팔세갈래근의 STR

1) 치료사는 한 손으로 환자의 팔꿈관절을 잡고 어깨를 180도로 편다. 다른 손으로는 위팔세갈래근의 한쪽을 잡고 팔꿈관절을 구부린다.

2) 계속 팔꿈관절을 지지한 채, 대상자에게 스스로 팔꿈관절을 펴려고 한다; 그 다음 한쪽 위팔세갈래근을 잡고 팔꿈관절을 구부리라고 한다. 근육의 근복을 고정하고 대상자에게 팔꿈관절을 구부리게 한다.

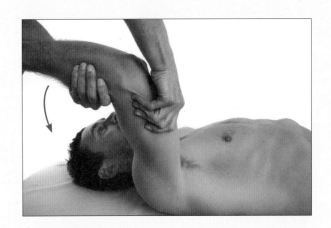

3) 뒤쪽 어깨세모근을 통해 날개뼈의 관절아래결절을 향해서 압박을 가함으로써 긴갈래 힘줄을 고정한다; 대상자에게 팔꿈관절을 구부리라고 한다.

- 위팔세갈래근의 긴갈래를 이완시키기 위해서, 고정을 한 상태에서 대상자에게 어깨 벌림 또는 굽힘을 시킨다.

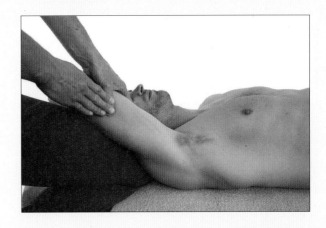

4) 팔꿈치머리 돌기로부터 멀어지도록 CTM 고정을 하기 위해 다른 손가락을 겹쳐 보강된 엄지손가락(reinforced thumb)사용한다. 대상자에게 팔꿈관절을 구부리라고 한다.

바로 누운 자세에서 팔꿈치근(Anconeus)의 STR

1) 팔꿈치근의 이는 곳에 STR 을 적용하기 위해 위팔 가쪽위관절융기(lateral epicondyle)로부터 멀어지는 방향으로 CTM 고정을 가한다. 팔꿈치머리 돌기와 자뼈로부터 멀어지는 방향으로 CTM 고정을 하고, 대상자에게 팔꿈관절을 구부리게 한다.

바로 누운 자세에서 뒤침근(Supinator)의 STR

1) 팔꿈관절을 펴서 뒤침을 한 자세에서 가쪽위관절융기를 향해서 손가락으로 뒤침근을 고정하고 대상자에게 천천히 그의 아래팔을 엎침 하도록 요구한다.

바로 누운 자세에서 원엎침근(Pronator teres)의 STR

1) 팔꿈관절을 굽혀 엎침한 상태에서 아래팔 굽힘근들과 위팔노근 사이에서 바로 촉진 가능한 원엎침근을 고정한다. 대상자에게 팔꿈관절을 뒤침하게 한다. 노뼈 부착지점을 향해서 고정한다. 스트레칭 효과를 높이기 위해서 팔꿈관절을 펴고 뒤침을 한 후 고정한다.

바로 누운자세에서 네모엎침근(Pronator quadratus)의 STR

1) 팔꿈관절을 엎침한 상태에서 자뼈 방향으로 노뼈에서 먼 쪽으로 손목 굽힘 근 깊이까지 고정하기 위해 손가락을 이용한다; 대상자에게 아래팔을 뒤침하게 한다.

CHAPTER 04

아래팔(Forearm), 손목, 손

3장(팔꿈관절)에서 이미 언급한 바와 같이, 이 부위에는 팔꿈관절, 아래팔, 손목, 손, 그리고 손가락에 이르기까지 여러 관절들의 움직임에 동시에 관여하는 공통근육(common muscle)들이 많기 때문에, 임상에서는 개별 근육들을 전체적인 근육사슬에 포함된 한 부분으로 생각하여 검사해야 한다. 공통근육의 제한이 손과 손가락 움직임에 미치는 영향은 동일한 근육의 제한으로 인한 어깨나 손목의 문제들과는 다를 것이다.

아래팔 근육 중에서, 팔꿈관절의 움직임이 주 기능인 근육은 원뒤침근과 원엎침근 뿐이며, 나머지 근육들은 손목과 손에 주로 작용한다. 아래팔 근육들은 손의 외재근(extrinsic muscles)들로 비교적 작은 크기인 내재근(intrinsic muscles)과 연합하여 일한다. 4장에서는 외재근의 작용과 외재근 제한에 의한 영향에 대하여만 다룰 것이다.(논의의 맥락에 따라 어떤 경우에는 손이라는 용어가 사용될 것이며, 다른 문맥에서는 손목 또는 손가락 이란 용어가 사용될 것이다.)

손목관절은 아래팔의 자뼈와 노뼈의 먼쪽 끝부분과 두 줄로 배열된 손목뼈들(carpal bones)로 이루어진다. 손은 손가락 뼈들로 구성되어 있는데, 전체적으로 손과 손목은 28개 뼈로 구성되어 있다.

손목관절은 먼쪽 노자관절(distal radioulnar joint), 노손목관절(radiocarpal), 손목뼈 중간관절(midcarpal), 손목뼈 사이관절(intercarpal joints)로 구성되어 있다. 손은 손목허리관절(carpometacarpal joints), 손목뼈사이관절(inter-carpal articulations)과 손허리뼈 손가락돌기관절(metacarpal phalangeal (MCP) joints)과 몸쪽 손목뼈사이관절(proximal interphalangeal (PIP) joint), 그리고 먼쪽 손목뼈사이관절(distal interphalangeal (DIP) joint)로 이루어져 있다(그림 4.1).

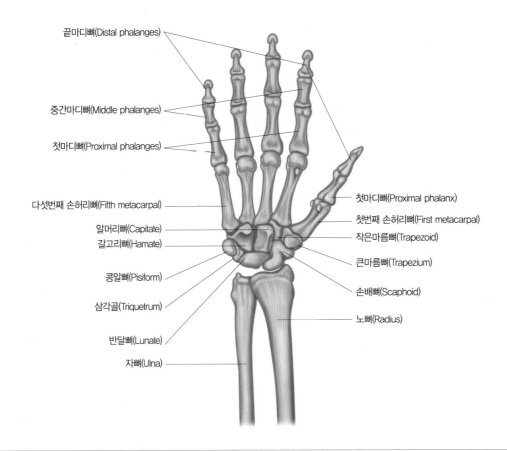

끝마디뼈(Distal phalanges)

중간마디뼈(Middle phalanges)

첫마디뼈(Proximal phalanges)

다섯번째 손허리뼈(Fifth metacarpal)

알머리뼈(Capitate)

갈고리뼈(Hamate)

콩알뼈(Pisiform)

삼각골(Triquetrum)

반달뼈(Lunate)

자뼈(Ulna)

첫마디뼈(Proximal phalanx)

첫번째 손허리뼈(First metacarpal)

작은마름뼈(Trapezoid)

큰마름뼈(Trapezium)

손배뼈(Scaphoid)

노뼈(Radius)

그림 4.1 손목과 손의 구조

손목과 손 관절의 움직임

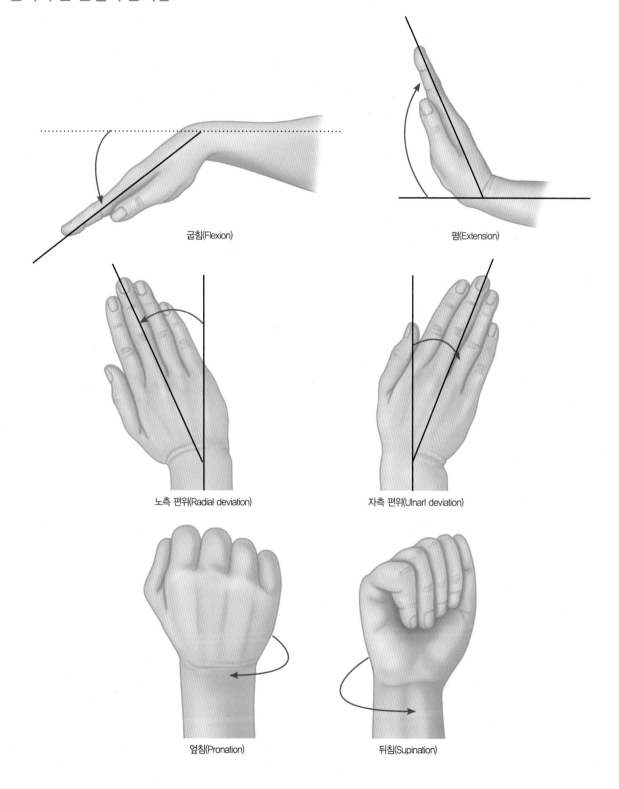

굽힘(Flexion)

폄(Extension)

노측 편위(Radial deviation)

자측 편위(Ulnarl deviation)

엎침(Pronation)

뒤침(Supination)

그림 4.2 손목과 손의 움직임

실제 손목과 손가락 관절은 복잡하지만, 이 책에서는 필수적이고 큰 동작(뼈운동학적 동작: osteokinematic)에 대해서만 언급하고자 한다. 손목은 아래팔과 손이 만나는 연결 부이다. 임상에서 손목의 큰 동작(gross motion)은 아래에 기술된 바와 같이 손 자세의 관찰에 의해 측정되어야 한다;

- 손 관절에서의 움직임은 손가락과 엄지의 움직임을 통해 관찰된다. 모든 손가락 관절(MCP, DIP, PIP)에서 손가락 굽힘은 비교적 자유롭게 일어나지만, 손가락 폄의 범위는 크지 않다. 사람의 엄지는 끝의 볼록한 면이 각각의 다른 손가락들의 볼록 면과 맞닿는 특별한 동작이 가능하다. 여러 동작들이 연합하여 이루어지는 이 동작을 맞섬(opposition)이라고 부른다(그림 4.3).
- 손가락의 굽힘과 폄은 복잡하고 조화로운 방법으로 일어나는 손의 외재와 내재근 간 협력의 결과인데, 어떤 손가락이 어떻게 사용되어야 하는지에 따라 근육들은 서로 작용근, 대응근, 그리고 안정근으로서의 역할을 수행한다.

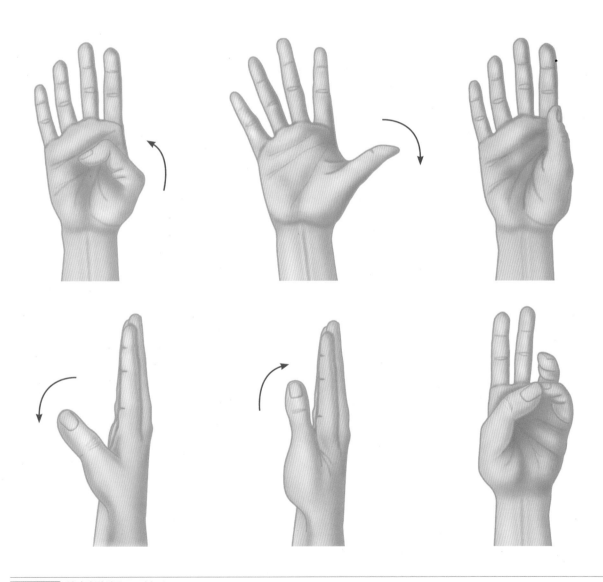

그림 4.3 엄지의 맞섬(Opposition)

아래팔, 손목, 손의 근육들

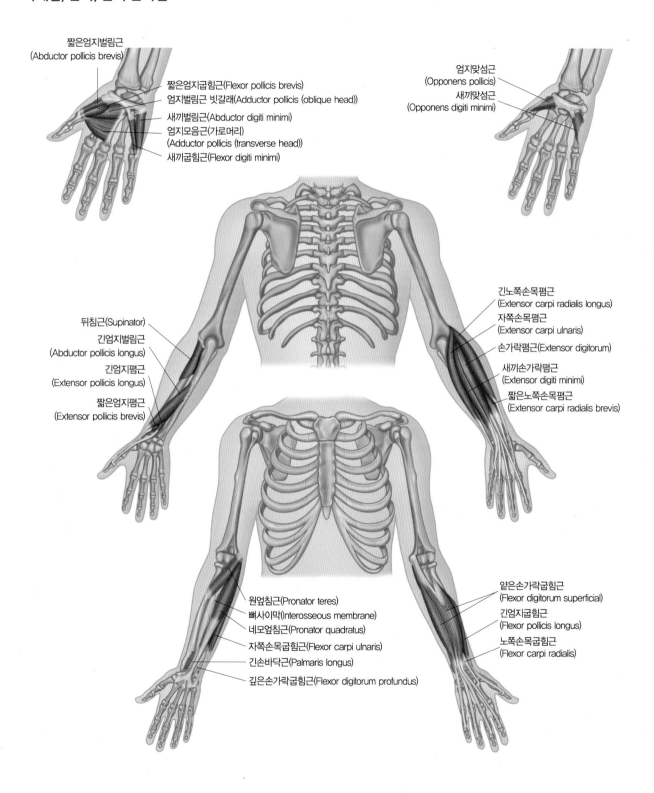

짧은엄지벌림근
(Abductor pollicis brevis)

짧은엄지굽힘근(Flexor pollicis brevis)
엄지벌림근 빗갈래(Adductor pollicis (oblique head))
새끼벌림근(Abductor digiti minimi)
엄지모음근(가로머리)
(Adductor pollicis (transverse head))
새끼굽힘근(Flexor digiti minimi)

엄지맞섬근
(Opponens pollicis)
새끼맞섬근
(Opponens digiti minimi)

긴노쪽손목폄근
(Extensor carpi radialis longus)
자쪽손목폄근
(Extensor carpi ulnaris)
손가락폄근(Extensor digitorum)
새끼손가락폄근
(Extensor digiti minimi)
짧은노쪽손목폄근
(Extensor carpi radialis brevis)

뒤침근(Supinator)
긴엄지벌림근
(Abductor pollicis longus)
긴엄지폄근
(Extensor pollicis longus)
짧은엄지폄근
(Extensor pollicis brevis)

원엎침근(Pronator teres)
뼈사이막(Interosseous membrane)
네모엎침근(Pronator quadratus)
자쪽손목굽힘근(Flexor carpi ulnaris)
긴손바닥근(Palmaris longus)
깊은손가락굽힘근(Flexor digitorum profundus)

얕은손가락굽힘근
(Flexor digitorum superficial)
긴엄지굽힘근
(Flexor pollicis longus)
노쪽손목굽힘근
(Flexor carpi radialis)

그림 4.4 아래팔, 손목, 그리고 손의 근육

표 4.1 아래팔, 손목, 손의 근육들의 움직임

근육	팔꿉관절의 움직임						
	굽힘 (Flexion)	폄 (Extension)	뒤침 (Supination)	엎침 (Pronation)	벌림 (Abduction)	모음 (Adduction)	돌림 (Rotation)
원엎침근(Pronator teres)	F			F			
노쪽손목굽힘근(Flexor carpi radialis)	H				H		
긴손바닥근(Palmaris longus)	H						
자쪽손목굽힘근(Flexor carpi ulnaris)	H				H		
얕은손가락굽힘근(Flexor digitorum superficialis)	P						
깊은손가락굽힘근(Flexor digitorum profundus)	P						
긴엄지굽힘근(Flexor pollicis longus)	T						
네모엎침근(Pronator quadratus)				FH			
긴노쪽손목폄근(긴 그리고 짧은) (Extensor carpi radialis (brevis and longus))		H			H		
손가락폄근(Extensor digitorum)		PH					
새끼폄근(Extensor digiti minimi)		Fifth P					
자쪽손목폄근(Extensor carpi ulnaris)		H				H	
뒤침근(Supinator)			F				
긴엄지벌림근(Abductor pollicis longus)		T			TH		T
짧은엄지벌림근(Abductor pollicis brevis)					T		T
짧은엄지벌림근(Adductor pollicis)	T					T	
짧은엄지굽힘근(Flexor pollicis brevis)	T				T		T
엄지맞섬근(Opponens pollicis)	T				T		T
짧은엄지폄근(Extensor pollicis brevis)		T			H		
긴엄지폄근(Extensor pollicis longus)		T					

기호설명				F	H	P	T
	주요한 역할	부수적인 역할	약간의 역할 가능	아래팔	손	손가락	엄지

표 4.2 근육제한이 손목 그리고 손 움직임에 미치는 영향

근육(Muscle)	제한의 영향(Effect of restriction)
네모엎침근과 원엎침근 (Pronator quadratus and teres)	뒤침이 감소되거나 어렵고, 아래팔이 주로 엎침 자세에서 유지된다. 팔꿈관절의 굽힘상태에서는 원엎침근이 짧아지기 때문에 두드러진 제한이 보이지 않는다.
노쪽손목굽힘근(Flexor carpi radialis)	주로 노뼈쪽 손목이 굽힘.상태에 있음
자쪽손목굽힘근(Flexor carpi ulnaris)	주로 자뼈쪽 손목이 굽힘상태에 있음
얕은손가락굽힘근(Flexor digitorum superficialis)	중간 마디뼈(middle phalanges) 의 굽힘 구축
깊은손가락굽힘근(Flexor digitorum profundus)	갈퀴손변형, 그러나 보통 다른 근육의 문제와 함께 나타날 수 있다.
긴노쪽손목폄근과 짧은 짧은노쪽손목폄근 (Extensor carpi radialis (brevis and longus))	손목 굽힘과 자뼈 편위가 감소(일상 생활 동작에 많은 영향을 미침)
손가락폄근(Extensor digitorum)	손허리손가락(MCP) 관절의 과다폄 기형(Hyperextension deformity)
뒤침근(Supinator)	팔꿈치가 주로 굽힘과 뒤침 상태에 있게 되고, 아래팔 엎침과 팔꿈관절 굽힘에 여향을 줌
엄지모음근(Adductor pollicis)	엄지의 모음 기형(adduction deformity) 많은 기능적인 장애와 함께 잡기와 쥐기에 영향을 미침

스포츠와 일상생활에서의 아래팔 근육 짧아짐(tightness)의 영향

암벽등반(Climbing)

암벽등반은 손목, 손관절, 그리고 특히 아래팔 근육에 상당한 스트레스를 준다. 근전도(EMG) 연구들은 암벽등반에 필요한 쥐기(grip)동작의 수행을 위해 얕은손가락굽힘근과 깊은손가락굽힘근이 중요한 역할을 하며 잠재적으로 손상의 위험이 높음을 보고하였다. 그러므로 이 근육에 제한이 있다면, 빠른 피로, 암벽등반에 요구되는 쥐기 동작 수행의 어려움, 근육손상 등이 생길 수 있다.

스쿼시

스쿼시 드라이브를 할 때, 손목은 폄과 뒤침 자세로 부터 굽힘과 엎침자세로 빠르게 움직이게 된다. 스쿼시 운동선수들을 대상으로 한 연구들에 따르면, 빠른 포핸드 드라이브를 수행하기 위해 요구되는 분절회전의 30%를 손목관절에서의 손 굽힘과 노자관절에서의 아래팔 엎침이 담당한다고 한다. 손목폄 또는 굽힘근의 제한은 스쿼시에 꼭 필요한 손목 움직임의 속도와 능력을 제한할 것이며, 잠재적으로는 테니스팔꿈증(tennis elbow)나 스쿼시팔꿈증(squash elbow)을 유발한다.

타이핑 하기

컴퓨터 작업 시 오랜 시간 키보드나 마우스를 사용하는 것은 일반적인 상황이다. 장시간 동안 손목을 약간 폄 상태로 유지하려면 손목 폄근과 동시에 손가락 굽힘근도 짧아진 자세에 놓이게 되는데, 이런 자세는 잠재적으로 손가락 구축, 쥐는힘의 약화를 초래하며, 손목에 압박을 가하게 되어 손목굴증후근(carpal tunnel syndrome)의 가능성이 증가될 수 있다.

손목과 손의 STR

쥐는 힘을 내거나 정확한 움직임을 수행하기 위해서 서로 다른 많은 근육이 함께 작용하는데, 이 근육들은 독립적으로 작용하기가 어렵다. 먼저, 대상자의 수동적 그리고 능동적 관절가동범위를 검사한다. 어떤 근육군이 작용하는지 확인하기 위해 손목과 손가락의 능동 운동을 사용하고, 이 근육들의 이차적 움직임을 항상 고려한다. 어떤 힘줄들은 지지 띠(reti- naculum)로부터 시작하기도 하고, 때론 힘줄이 지지 띠에 유착되어 있을 수도 있기 때문에, 굽힘과 폄근의 지지띠도 잘 확인해야 한다. 또한, 근육과 힘줄들의 주요 부착부인 뼈사이막(interosseous membrane)도 주의깊게 고려해야 한다.

바로 누운 자세에서 손목 굽힘근의 STR(얕은 구획(superficial compartment) - 자쪽손목굽힘근, 긴손바닥근, 노쪽손목굽힘근, 중간과 깊은층 - 얕은손가락굽힘근, 깊은손가락굽힘근, 긴엄지굽힘근)

1) 그림과 같이 손목관절을 뒤침과 중간 정도 굽힘한 상태로 놓고, 치료사의 한 손으로 환자의 아래팔의 폄근쪽 (exten- sor side)을 부드럽게 잡는다. 넓은면 고정(broad surface lock)을 위한 힘을 가하기 위해 가볍게 주먹 쥔 (soft fist) 반대 손으로 손목에서 먼쪽으로 굽힘근을 고정한다; 그 후, 환자에게 손목을 펴라고 한다. 특정 부분을 좀더 집중적으로 고정하기 위해서는 한 손가락 또는 보강된 엄지를 사용하고, 더 깊은 부위에 STR을 적용하려면 손가락 관절 (nuckle)을 사용한다.

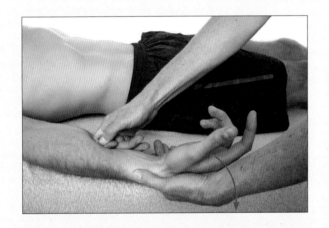 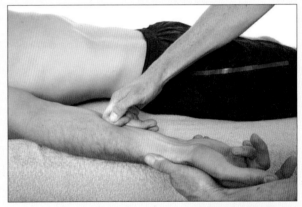

2) 팔꿉관절을 뒤침한 상태로 손목과 손이 밖으로 걸쳐지도록 테이블에 환자의 팔을 놓는다. 깊은 고정을 위해 손가락 또는 손가락 관절을 사용하여 고정한다. 각각의 굽힘근 사이에 CTM 고정을 하기 위해 보강된 엄지(reinforced thumb)나 손가락을 사용한다. 이 상태에서 환자가 손목을 펴도록 한다.
   • 공통 굽힘근 힘줄(common flexor tendon)에 CTM 고정을 시도한다.

바로 누운 자세에서 손목 폄근의 STR(긴노쪽손목폄근, 짧은노쪽손목폄근, 자쪽손목폄근, 공통손가락폄근, 집게폄근, 새끼폄근, 긴엄지폄근, 짧은엄지폄근)

1) 팔꿈치를 엎침 하여 반쯤 굽힌 상태에서, 치료사의 한 손으로 아래팔의 앞면을 부드럽게 잡는다. 다른 손은 가볍게 주먹쥐어 팔꿈치에서 먼쪽으로 폄근에 넓은면 고정(broad surface lock)을 가한다. 환자에게 손목을 굽히라고 한다.

2) 손목을 엎침 한 상태에서 팔을 테이블에 위에 놓고 손목은 테이블 밖으로 걸치게 한다; 스트레칭 효과를 높이기 위해서 이 자세를 취한다. 깊은 고정을 가하기 위해 손가락이나 손가락 관절을 사용한다. 각각의 폄근들 사이에 CTM 고정을 위한 압력을 가하려면 보강된 엄지 또는 보강된 손가락(reinforced thumb or finger)을 사용한다.

3) 폄근의 공통힘줄(common extensor tendon)에 CTM 고정을 하려면 보강된 엄지를 사용한다; 대상자에게 손목을 굽히라고 한다.
   - 만약에 폄근의 공통 힘줄에 만성적 힘줄병(chronic tendinopathy)이 있는 상태라면, 너무 과하게 다루지 않도록 주의한다; 아주 조심스럽게 고정하고, 특히 염증이 있는 상태라면 그 부위를 피하도록 한다.

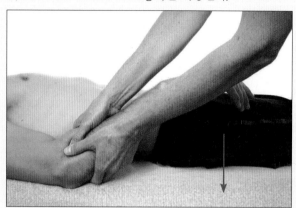

4) 치료사의 양손으로 손목을 지지하고 양쪽 엄지손가락으로 손목의 폄 힘줄을 고정한다; 힘줄과 폄지지대(extensor retinatculum) 사이를 고정한다; 부드럽게 손목을 굽힌다.
   - 손목 벌림(abduction)과 병행하여 시도하도록 한다 (바로 다음에 나오는 손목 벌림근 STR 부분 참고) 자뼈손목폄근을 따로 분리하려면, 자뼈 가까이 고정한 후, 스트레칭을 위해 환자에게 손목을 벌리도록 지시한다.

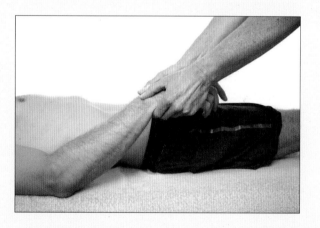

바로 누운 자세에서 손목 벌림근의 STR(노쪽손목굽힘근, 긴노쪽손목폄근, 짧은노쪽손목폄근, 긴엄지벌림근, 짧은엄지폄근)

1) 팔꿉관절을 굽힌 상태에서, 손가락 관절이나 보강된 엄지를 사용하여 고정한다; 환자에게 손목을 모으도록(adduction) 지시한다.

2) 팔꿉관절을 뒤침한 상태에서, 팔을 테이블 위에 놓는다(이때, 손목과 손은 테이블 밖으로 걸쳐지도록 한다). 부드럽게 가쪽위관절융기 뒷쪽에 손가락을 건다(hook); 이 상태에서 환자에게 손목모음을 하라고 한다.

바로 누운 자세에서 손목 모음근의 STR(자쪽손목굽힘근 그리고 자쪽손목폄근)

1) 팔꿉관절을 편 상태에서 굽힘근 공통 힘줄(common flexortendon)을 가로질러 CTM 고정을 하기 위해 보강된 엄지를 사용한다; 환자에게 손목벌림 하도록 시킨다. 손목모음근의 근복 부를 고정하고, 콩알뼈(pisiform)에서 멀어지도록 CTM 고정을 적용한다; 환자에게 손목 벌림 하도록 시킨다.

바로 누운 자세에서 엄지 굽힘근의 STR(짧은 엄지굽힘근, 엄지 맞섬근, 긴 엄지 굽힘근)

1) 엄지굽힘근의 위치를 찾아내기 위해 엄지두덩(thenar eminence)에 고정하고 신장을 위해 환자에게 엄지 손가락 폄을 시킨다. 아래팔에서의 긴엄지굽힘근의 위치를 찾아 고정하고, 환자에게 엄지와 손목을 펴라고 한다.

바로 누운 자세에서 엄지 폄 근육의 STR(긴엄지폄근, 짧은엄지폄근, 긴엄지벌림근)

1) 엄지의 힘줄을 고정하고 관절을 구부린다.
양쪽 '해부학적 코담배갑(anatomical snuff box)' 힘줄 중 어느 한쪽을 고정한다. 환자가 엄지를 구부리도록 시킨다. (다른 쪽 힘줄에도 동일하게 적용–옮긴이)

바로 누운 자세에서 엄지 벌림근의 STR(긴엄지벌림근 그리고 짧은엄지벌림근)

1) 이 근육들의 힘줄을 고정하고 신장을 위해 환자에게 엄지 관절 굽힘과 모음을 시킨다.

바로 누운자세에서 엄지 맞섬근의 STR(엄지맞섬근, 짧은엄지굽힘근)

1) 대상자에게 새끼손가락과 엄지손가락을 서로 맞섬 하게 한다. 엄지 두덩이를 고정시키고 손가락을 벌리게 한다.

바로 누운 자세에서 엄지 모음근의 STR(엄지모음근)

1) 대상자의 엄지를 모음 시켜 두 번째 손가락과 엄지가 서로 닿도록하여 엄지벌림상태로 둔다. 치료사의 엄지와 다른 손가락 하나를 사용하여 엄지의 기저 부에서 엄지와 둘째 손가락 사이의 갈퀴를 부드럽게 잡는다(pinch into the webbing); 이 상태에서 엄지를 벌리도록 시킨다(엄지와 둘째손가락 사이가 멀어짐).

바로 누운자세에서 손가락 굽힘근의 STR(얕은손가락굽힘근, 깊은손가락굽힘근, 긴엄지굽힘근, 짧은새끼굽힘근, 벌레근, 뼈사이근)

1) 각각의 손허리손가락 관절(metacarpophalangeal joint) 가까이 CTM 고정을 가한다; 대상자에게 손가락들을 펴라고 시킨다.

바로 누운자세에서 손가락 폄근의 STR(공통 손가락폄근(extensor digitorum communis), 집게 폄근, 새끼폄근, 긴엄지폄근, 짧은엄지폄근)

1) 손등 쪽(dorsal aspect of hand)에서 각각의 손 허리 뼈 사이 사이에 CTM 고정을 한다.

바로 누운 자세에서 손가락 벌림근의 STR(등쪽뼈사이근, 새끼벌림근, 그리고 짧은엄지벌림근)

1) 손을 편 상태로 보강된 엄지손가락을 사용하여 손등쪽에서 손등 뼈 사이사이의 손가락 벌림근들을 고정한다. 대상자는 손가락을 모으게 한다. 스트레치가 더 효율적으로 되게 하기 위해 손목 굽힘과 손가락 벌림근의 STR을 결합하여 실시한다.

2) 손을 벌리고 손가락을 약간 굽힌 상태에서 새끼두덩(hypothenar eminence)를 고정한다. 이 자세에서 대상자에게 새끼 손가락 모음 하도록 시킨다.

바로 누운 자세에서 손모음근의 STR(바닥쪽 뼈사이근과 짧은 엄지벌림근)

1) 보강된 엄지를 사용하여 손바닥 쪽에서 손모음근을 고정한다; 이 상태에서 대상자가 손가락을 벌리게 한다. 스트레칭 효과를 높이기 위해서 손목의 폄과 손가락 벌림을 함께 하도록 시킨다.

CHAPTER
05

몸통(Torso): 등뼈(Thoracic)와 허리엉치뼈(Lumbosacral spine)

이 책에서 몸통은 등뼈(thoracic)와 허리엉치뼈(lumbosa-cral), 가슴우리(rib cage) 그리고 복부를 둘러싼 신체 부위를 포함한다. 필연적으로 몇몇 큰 근육들은 몸통을 지나거나 몸통에 영향을 미친다.

직접적으로 몸통에 영향을 주는 근육들만 다루어질 것이다. 그렇지 않은 근육들은 그 근육들의 기본 단원에서 논의될 것이다. 예를 들어, 넓은등근(latissimus dorsi)은 견갑대(shoulder girdle) 단원에서 다루어진다.

편의상, 몸통은 등뼈와 허리엉치뼈로 구분된다. 허리엉치 단원은 엉치엉덩 관절(sacroiliac joint)과 허리엉치 운동과 함께 허리뼈와 엉치뼈를 포함한다.

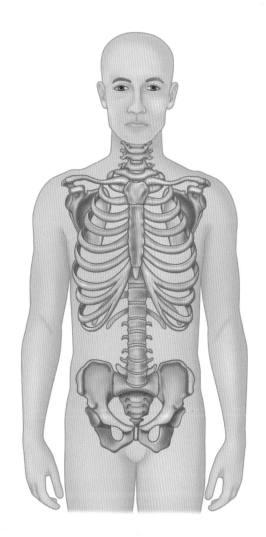

그림 5.1 | 몸통(Torso)

등뼈(Thoracic spine)

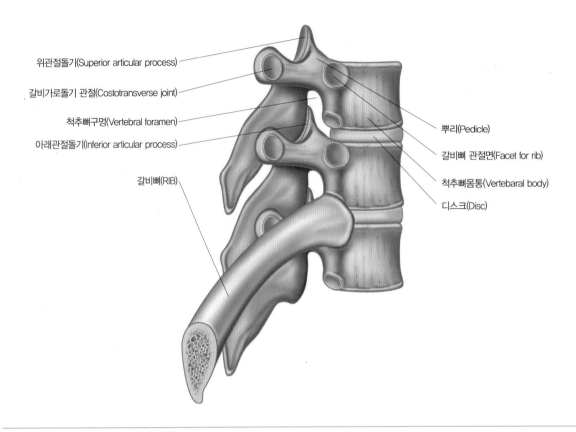

위관절돌기(Superior articular process)

갈비가로돌기 관절(Costotransverse joint)

척추뼈구멍(Vertebral foramen)

아래관절돌기(Inferior articular process)

갈비뼈(RIB)

뿌리(Pedicle)

갈비뼈 관절면(Facet for rib)

척추뼈몸통(Vertebaral body)

디스크(Disc)

그림 5.2 　등뼈(Thoracic spine)의 분절

등뼈의 운동

척추뼈 몸통(vertebral body) 높이에 대한 디스크 최저의 비율, 후관절(facet joint) 방향 그리고 갈비뼈 부착의 결합은 등뼈를 척추 부분 중 가장 적은 운동성을 만든다.

목뼈와 같이, 이 것은 개인의 관절에서 발생되는 관절운동학적(arthrokinematic) 그리고 동반 움직임(coupled motions)뿐만 아니라 몸통 또는 신체의 운동에 의해 관찰되는 뼈운동학적 운동(osteokinematic movement)을 가진다(그림 5.3).

큰 관찰 운동(Gross Observational Movements)

후관절(facet joint)의 방향은 주로 각 분절 수준에서 가능한 운동을 결정한다.

아래 등뼈로 갈수록, 등뼈의 후관절은 더 수직적이고 이마면(frontal plane)으로 정렬된다; 이는 돌림(rotation)과 굽힘(flexion) 잠재성을 증가시킨다.

그림 5.3 뼈운동학적(Osteokinematic) 등뼈 돌림

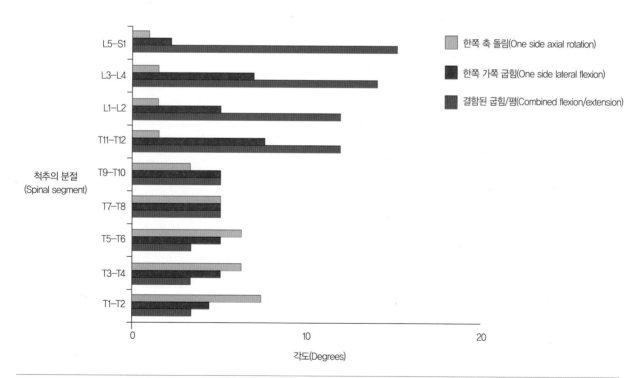

그림 5.4 등뼈와 허리뼈 분절적 운동

가슴우리 움직임(Rib Cage Motion)

등뼈의 움직임에 대한 논의는 가슴우리 운동을 언급하지 않고서는 완성되지 않는다.

갈비뼈는 척추뼈 몸통과 가로돌기(transverse processes)에 있는 윤활액 관절(synovial joint)로 등뼈와 연결되고, 마지막 두 개를 뺀 나머지 모두는 갈비연골(costal cartilages)과 복장뼈(sternum)를 통해 앞쪽에 연결된다.

가슴우리의 중요한 움직임은 '펌프 작용(pump action)' 그리고 '양동이 손잡이(bucket handle)'라고 불리는 숨쉬기와 관련되어 있고, 둘은 모두 경첩형(hinge-type) 움직임이다.

펌프 작용 움직임은 시상면(sagittal plane)에서의 움직임인 반면, 양동이 손잡이 움직임은 이마면에서의 운동으로 나타난다.

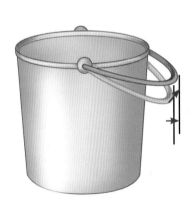
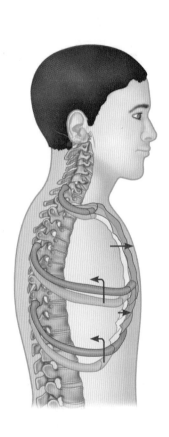

그림 5.5   갈비뼈 운동

허리엉치뼈(Lumbosacral Spine)

  허리엉치뼈는 다섯개의 허리뼈와 다섯개의 융합된 엉치뼈로 구성된다; 이 것의 가장 아래 끝은 척주(vertebral column)의 마지막 분절인, 꼬리뼈(coccyx)와 연결된다.

  엉치엉덩관절은 엉치뼈와 엉덩뼈(ilium)의 관절면 사이에 형성된 윤활액 관절(synovial joints)이다.

  허리뼈 운동으로 나타난 대부분의 운동은 실제로 엉치엉덩 운동에 의해 영향을 받은 허리엉치의 운동, 또는 허리 운동이다.

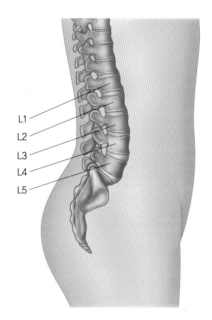

L1
L2
L3
L4
L5

그림 5.6 　허리뼈(Lumbar spine)

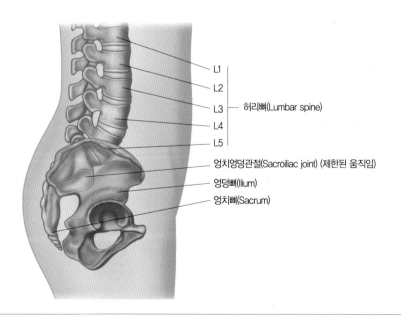

L1
L2
L3 ─ 허리뼈(Lumbar spine)
L4
L5

엉치엉덩관절(Sacroiliac joint) (제한된 움직임)
엉덩뼈(Ilium)
엉치뼈(Sacrum)

그림 5.7 　엉치엉덩 관절(Sacroiliac joint)

허리뼈(Lumbar Spine)의 운동

큰, 또는 뼈운동학적, 허리뼈 운동은 굽힘(flexion), 폄(extension), 가쪽 구부림(lateral bending) 그리고 돌림(rotation)이다. 각 분절에서의 양은 그림 5.4에서 볼 수 있다.

모든 척추 부분에서와 마찬가지로, 움직임은 후관절의 방향에 의해 크게 결정된다.

허리뼈에서 후관절은 수직으로, 시상면과 평행하는 방향을 향하고, 이는 굽힘과 폄을 유리하게 하지만 돌림을 제한한다. 이 것은 등뼈와 비교하여 허리뼈에서 척추뼈 몸통 높이에 대한 디스크의 증가된 비율에 의해 보충된다.

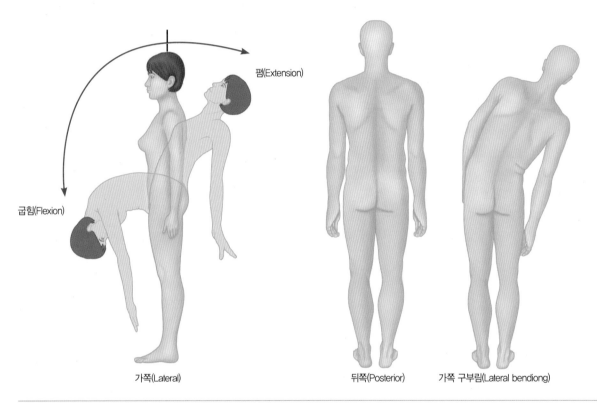

폄(Extension)

굽힘(Flexion)

가쪽(Lateral)

뒤쪽(Posterior)　　가쪽 구부림(Lateral bendiong)

그림 5.8　허리뼈(lumbar spine)의 움직임 범위

등뼈와 허리뼈에서의 동반 움직임(Coupled motion)

목뼈와 마찬가지로, 등뼈와 허리뼈는 동반 움직임(coupled motion)을 나타낸다; 하지만, 등뼈에서는 목뼈에서처럼 일관되지 않는다. 위쪽 등뼈는 아래쪽 목뼈와 같이 같은 쪽 돌림(ipsilateral rotation)이 동반된 가쪽 굽힘과 연결된 경향이 있다. 더 아래쪽은, 이런 동반이 같은 쪽과 반대 쪽 굽힘과 동반된 가쪽 굽힘(contralateral flexion)이 덜 일관된다.

허리뼈는 관절면에서 작지만 필수적인 동반 운동(coupled movements)을 보인다. 허리 척주앞굽음(lordosis)은 중립 자세로 간주되고, 비록 돌림이 제한되지만 측면 굽힘(side flexion)과 돌림은 상호의존적이다.

허리를 굽히기 또는 펴기는 돌리거나 가쪽으로 굽히는 능력을 감소시킬 것이고, 그들의 관계를 변화시킨다. 중립 자세에서, 가쪽 굽힘은 반대쪽 돌림과 함께 발생하는 반면에, 허리뼈 굽힘에서는 돌림 그리고 가쪽 굽힘은 같은 방향에서 발생한다. 연조직(soft tissue)은-근육, 인대 그리고 관절주머니(joint capsules)를 포함-모든 이런 운동에 영향을 미치지만, 특히 굽힘에 영향을 미친다. 폄은 서로에게 영향을 주는 인접한 척추뼈의 후관절과 가시돌기의 디자인에 의해 제한된다.

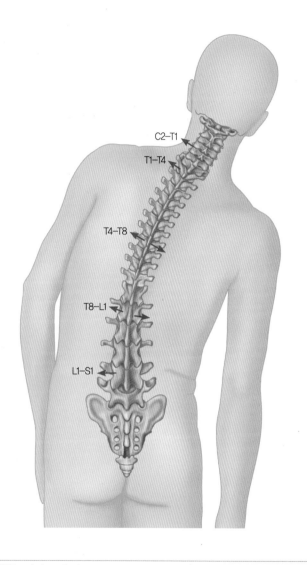

C2–T1
T1–T4
T4–T8
T8–L1
L1–S1

그림 5.9 **등뼈와 허리뼈의 짝 운동(Coupled motion)**

협응된 허리엉치 움직임(Coordinated Lumbosacral Motion)

허리뼈의 유연성 측정으로 종종 보여지는 운동 중 하나는 발가락을 만질 수 있는 능력이다. 그러나, 이것은 사실상 전체 엉치엉덩관절과 허리뼈의 움직임으로 결정된 전체 허리골반 리듬(lumbopelvic rhythm)을 측정하는 것이다. 초기에 허리뼈는 척주앞굽음(lordosis)을 잃고 그 다음에 몸통은 엉치엉덩관절에서 발생하는 작지만 필수적인 운동과 함께, 엉덩관절(hip joint)에서 회전(pivot)한다.

이것은 동반 움직임의 한 형태이고 허리뼈의 여러 가지 연부 조직들뿐만 아니라, 볼기(gluteal)와 뒤넙다리 근육(ham-string)의 제한에 의해 쉽게 방해될 수 있다.

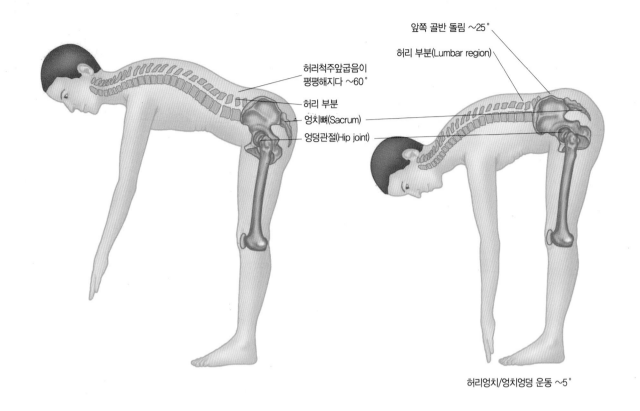

앞쪽 골반 돌림 ~25˚

허리 부분(Lumbar region)

허리척주앞굽음이
평평해지다 ~60˚

허리 부분

엉치뼈(Sacrum)

엉덩관절(Hip joint)

허리엉치/엉치엉덩 운동 ~5˚

그림 5.10 ┃ 허리골반 리듬(Lumbopelvic rhythm)

등뼈와 허리뼈의 근육

허리뼈와 등뼈 또는 가슴(thorax)에 영향을 미치는 근육들 또는 가슴우리(rib cage)와 허리뼈의 많은 작은 내재근 뿐만 아니라, 어깨, 복부 그리고 골반의 근육들을 또한 포함한다.

이 단원에서는, 별도로 언급이 없으면, 등 또는 허리의 운동에서 특정한 기능적 역할을 가지는 근육들 그리고 또한 연부 조직 이완(STR)에 의해 직접적으로 영향을 받을 수 있는 근육들이 다루어질 것이다.

등뼈와 허리뼈의 근육

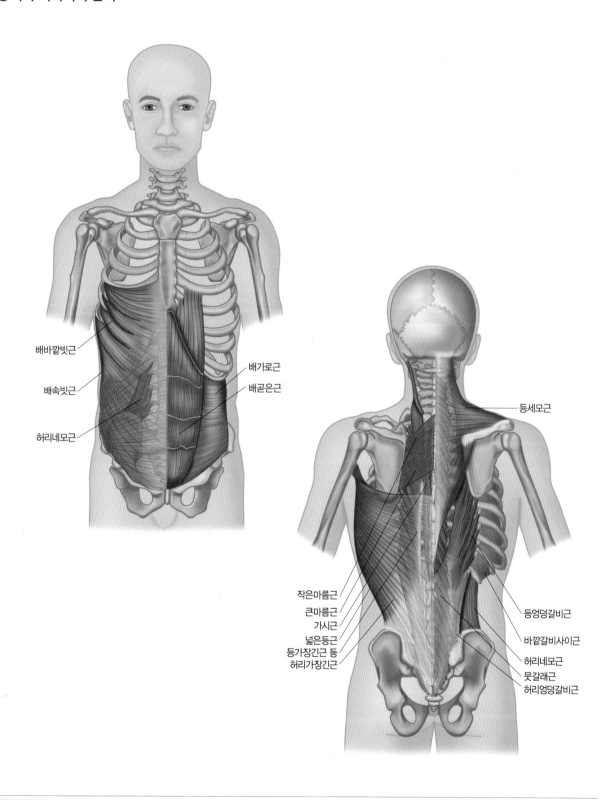

배바깥빗근

배속빗근

허리네모근

배가로근

배곧은근

등세모근

작은마름근
큰마름근
가시근
넓은등근
등가장긴근 등
허리가장긴근

등엉덩갈비근

바깥갈비사이근

허리네모근
뭇갈래근
허리엉덩갈비근

그림 5.11 등뼈와 허리뼈의 근육들

표 5.1 등뼈와 허리엉치뼈에서의 근육 운동

근육	등뼈(Thoracic)와 허리엉치뼈(Lumbosacral spines)의 운동			
	가쪽 굽힘(Lateral flexion)	굽힘(Flexion)	폄(Extension)	돌림(Rotation)
등뼈				
가시근(Spinalis)	U		B	I-U
등가장긴근 등부분 (Longissimus thoracis pars thoracis)	U		B	I-U
바깥갈비사이근(External intercostals)				C
허리뼈(Lumbar)				
허리엉덩갈비근 (Iliocostalis lumborum)			B	I-U
등가장긴근 허리부분(Longissimus thoracis pars lumborum)			B	I-U
등허리뼈(Thoracolumbar)				
뭇갈래근(Multifidus)				C
허리네모근(Quadratus lumborum)				
배속빗근(Internal obliques)	U			I-U
배바깥빗근(External obliques)	U			C-U
배곧은근(Rectus abdominis)				
기타				
넓은등근(Latissimus dorsi)	U	B		
등세모근(Trapezius)과 마름근(Rhomboids)	U			C-U

기호설명 (Key)				B	U	C	I
	주요한 역할 (Primary role)	이차적 (Secondary) 또는 약한 역할 (weak role)	가능한 역할	양쪽(Bilateral)	한쪽 (Unilateral)	반대쪽 (Contralateral)	같은쪽 (Ipsilateral)

등뼈와 허리엉치뼈 사이의 관계는 한 근육의 긴장(tightness) 또는 제한(restriction)이 한 부분(one section) 보다 더 많은 부분에 영향을 미칠 가능성이 있다.

표 5.2 근육 제한이 등뼈(Thoracic)와 허리엉치뼈(Lumbosacral spine) 운동에 미치는 영향

근육	긴장(Tightness)/제한(Restriction)의 효과
등뼈(Thoracic)	
가시근(Spinalis)	위쪽 몸통(torso)의 자세적 편위(deviation), 특히 가쪽 굽힘과 약간의 뒤쪽 돌림(posterior rotation) 제한된 위쪽 몸통 운동, 특히 분절 수준에서 굽힘과 반대쪽 돌림 척추측만증(scoliosis)
등가장긴근 등부분(Longissimus thoracis pars thoracis)	뻣뻣한 등뼈 부위와 등뼈에서의 감소된 굽힘 허리뼈의 가장긴근과 연결하여, 허리골반 리듬(lumbopelvic rhythm)의 전반적인 감소에 기여할 수 있다.
바깥갈비사이근(External intercostals)	흡기의 어려움 증가와 감소된 '양동이 손잡이'('bucket handle') 갈비뼈 움직임
허리뼈(Lumbar)	
허리엉덩갈비근(Iliocostalis lumborum)	중립 선 자세에서 감소된 반대쪽 측면 구부림(side bending)과 함께 증가된 허리 척주앞굽음(lordosis)
등가장긴근 허리 부분(Longissimus thoracis pars lumborum)	허리골반 리듬(lumbopelvic rhythm)과 허리 굽힘의 편안함 감소에 영향을 미칠 수 있음
등허리뼈(Thoracolumbar)	
뭇갈래근(Multifidus)	국소적으로 감소된 반대쪽 허리 측면 굽힘과 돌림 허리골반 리듬의 감소
허리네모근(Quadratus lumborum)	중립 자세에서 증가된 같은쪽 굽힘 허리골반 리듬 감소 보행의 변화 바로 누운 자세에서 다리 길이 평가를 할 때 긴장된 쪽에서 짧은 다리의 지각
배속빗근(Internal obliques)	반대쪽 뒤쪽 몸통 돌림과 측면 굽힘의 제한
배바깥빗근(External obliques)	같은쪽 뒤쪽 몸통 돌림의 감소
배곧은근(Rectus abdominis)	증가된 등허리뼈 굽힘 흡기와 등허리뼈 폄의 편안함이 동시에 감소
기타	
넓은등근(Latissimus dorsi)	증가된 척주뒤굽음의(kyphotic) 자세
등세모근(Trapezius) 과 마름근(Rhomboids)	중간-위쪽 등뼈 같은쪽 돌림

등뼈와 허리엉치뼈의 제한이 스포츠와 일상 생활에 미치는 영향

하키

하키 경기를 할 때 상당한 한쪽 방향의 자세의 요구는 허리네모근(quadratus lumborum)과 배속빗근(internal obliques)과 배바깥빗근(external obliques)에서 발생하는 제한으로 이어질 수 있다.

앞쪽 굽힘 자세(forward-flexed position)는 단축된 배곧은근(rectus abdominis)을 야기할 수 있다.

규칙적인 신장(stretching)이 없다면, 공을 조절할 때 자세를 변화시키는 능력과 히팅(hitting) 파워힘을 제공하기 위해 발생되는 회전력(torque)이 손상될 수 있다.

높이 뛰기(High Jump)

일반적으로 높이뛰기에서 곡선으로 도움닫기(curved run-up)와 막대기에 닿지 않게 몸통을 빠른 속도로 돌리는 것이 요구되는 배면뛰기(Fosbury flop) 기술이 사용된다.

비록 이것 중 많은 것은 사지(limbs)의 사용으로부터 오는 것이지만, 좋은 뛰기는 빗근(obliques), 복근(abdominals) 그리고 척주세움근(erector spinae) 의 힘, 유연성 그리고 안정성이 요구된다.

초기의 뛰기는 또한 허리골반 리듬과 다리를 펴는 능력에 영향을 미치는 강한 뒤넙다리근을 요구한다. 이것들 중 어떤 하나의 긴장(tightness)은 수행능력을 감소시킬 것이다.

몸을 앞으로 숙이기(Bending Over)

문제가 나타나기 전까지 당연시 하는 일상적인 활동에서, 앞으로 숙이기는 허리와 등의 연부 조직의 긴장에 의해 심각하게 영향을 받을 수 있다.

긴장된 뒤넙다리근은 정상 허리골반 리듬을 멈추고 복근이 더 강하게 수축하도록 강요할 수 있고, 잠재적으로 장기적 긴장을 야기한다.

허리뼈와 등뼈의 긴장된 척주세움근은 정상 움직임을 막고 과도한 엉덩관절 굽힘의 요구를 증가시킬 수 있으며, 허리뼈의 더 큰 압박을 야기한다.

장기적으로 이 것은 의자에 앉기와 다시 일어나기를 포함하는 간단한 활동들을 제한할 것이다.

척추와 등뼈에 대한 STR

- 대상자의 자연스럽게 선 자세를 기록한다.
- 관절가동범위를 체크한다: 척추의 굽힘, 폄, 돌림, 그리고 측면 굽힘.
- 엎드린 자세에서 치료를 피한다: 예를 들어 만약 척추의 디스크가 압박되거나 또는 허리뼈가 척주앞굽음이 감소되어 있다면 대상자는 그들의 후관절이 맞물림(locking up)에 민감할 수 있다.
- 운동이 최소화 될 수 있고 척추의 특정 분절에서 정확한 운동을 회복하기 위하여 필요한 만큼 특정적으로 할 수 있는 옆으로 누운 자세와 앉은 자세가 기능적인 면에서 허리뼈를 열고(opening up) 치료하는데 매우 좋다.
- 체계적으로 치료하고 척추세움근(erector spinae)의 다른 가지와 같이, 근육들 사이를 구별하기 어려운 경우라 하더라도 부착점과 근육 가장자리(muscle borders)를 고려한다.
- 가해지는 압력으로 항상 다른 근육 군의 층을 고려한다.
- 가로돌기가시근육(transversospinales)은 가장 깊은 내재 층에 있다: 그것들은 운동을 만들 뿐만 아니라, 자세 유지에 중요하다.

이러한 특정 근육들의 고려는 강화 프로그램에서 그들이 표적이 되는데 도움이 될 것이다.

엎드린 자세에서 척주기립근(가시근(Spinalis), 가장긴근(Longissimus) 그리고 엉덩갈비근(Iliocostalis))의 STR

1) 허리뼈 부분을 위해, 척추의 양쪽을 고정(lock)하기 위하여 주먹과 같이 넓은면 고정(broad surface lock)을 사용한다; 대상자에게 골반을 뒤쪽으로 기울이는 것을 알려준다.

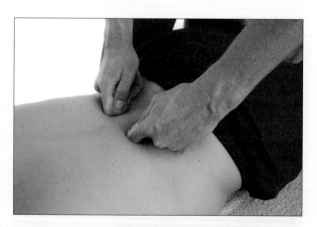
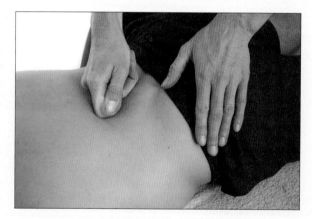
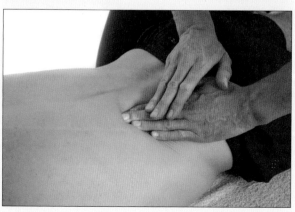

2) 팔꿈치머리 돌기(olecranon process), 엄지손가락 또는 손가락 관절(knuckle, 즉 손가락관절이란 각 손가락의 PIP 관절을 굽히면 등쪽이 튀어나는 부위를 뜻한다-옮긴이)로 보강하여 손가락으로 더 깊은 고정(deeper lock)으로 진전한다: 척주기립근 '부피(bulk)'의 가쪽 선(lateral line)에 있는 엉덩갈비근, 중간선(mid-line)에 있는 가장긴근, 외측판 고랑(lamina groove)에 있는 척추 가까이에 있는 가시근을 찾는다. 대상자에게 골반으로 뒤쪽으로 기울이라고 지시한다. 엉덩갈비근의 가쪽 모서리(lateral border) 주변을 말기(curl) 위해 손가락을 이용한다; 대상자에게 골반을 뒤쪽으로 기울이라고 지시한다.

- 허리 부분에서 특별히 등허리근막(thoracolumbar fascia)에 영향을 주기 위해 마사지 고정(CTM lock) (connective tissue massage (CTM) lock)을 이용한다.
- 가시돌기에 어떠한 압력도 가하지 않는다.

3) 허리엉치 이음부(lumbosacral junction)에 마사지 고정을 적용하기 위해 손가락관절을 사용한다; 대상자에게 골반을 뒤쪽으로 기울이라고 지시한다.

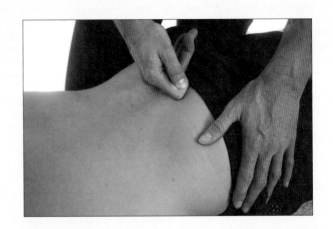

옆으로 누운 자세에서 척주기립근의 STR

1) 한 손을 대상자의 엉덩뼈능선(iliac crest)에 고정하고 넓은등근의 깊은 부분과 척주기립근 군의 표면의 섬유에 고정하기 위하여 부드러운 주먹(soft fist)을 이용한다; 대상자에게 골반을 뒤쪽으로 기울이라고 지시한다.

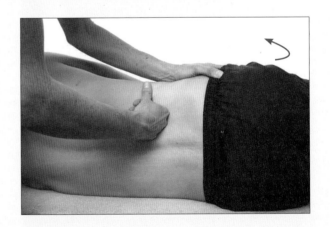

2) 손가락 관절로 더 깊은 고정(deeper lock)으로 진전한다; 척주기립근 '부피(bulk)'의 가쪽 선(lateral line)에 있는 엉덩갈비근, 중간선(mid-line)에 있는 가장긴근, 외측 판 고랑(lamina groove)에 있는 척추 가까이에 있는 가시근을 찾는다. 대상자에게 골반을 뒤쪽으로 기울이라고 지시한다.

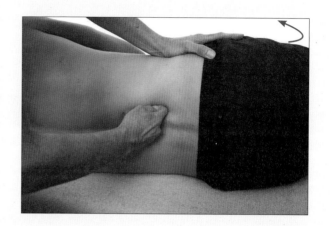

- 등허리근막을 이완시키기 위해 마사지 고정을 사용한다.

3) 등뼈 부위를 위해, 근육의 세 선: 판 고랑에 있는 가시근, 정중선에 있는 가장긴근 그리고 가쪽 선에 있는 엉덩갈비근을 다시 고려하면서, 손가락 관절 또는 보강된 엄지(Reinforced thumb, 고정을 가하는 엄지 손가락 위에 다른 쪽 팔의 손가락들을 겹쳐 힘을 더하는 것)를 사용하여 고정한다: 대상자는 그들의 등(back)을 동그랗게 구부려(arch) 고정하도록 요구한다.

- 마사지 고정으로 엉덩갈비근 주변를 눌러서 만다(curling); 조직들이 갈비뼈에 충돌하는 것을 피한다.
- 어깨뼈 사이, 등세모근과 마름근 심부로 고정을 천천히 눌러서 척추세움근의 수직 방향을 느낀다.
- 고정을 위해 방향을 더 추가할 때 척추에 존재하는 곡선을 고려한다.

앉은 자세에서 척주기립근 STR

1) 대상자가 그의 양 발을 바닥에 두고, 앞쪽 어깨를 살짝 지지하는 안정된 상태를 만든다. 고정을 위해 부드러운 주먹(soft fist)을 사용한다; 대상자에게 그의 척추를 앞으로 굽히거나 옆으로 굽히도록 요청한다.
2) 예를 들어, 후관절 근처 가까이 같이 특정 부위 위치를 찾기 위해 손가락 관절 사용으로 진전한다.
- 대상자의 자세에 따라, 고정의 방향을 고려한다.
- 마사지 고정을 사용하고 대상자가 그의 특정 운동 제한을 표적으로 하여 아주 정확하고, 미묘한 운동을 하도록 안내한다.

엎드린 자세에서 가로돌기가시근육(Transversospinales) (뭇갈래근(Multifidus), 돌림근(Rotators), 반가시근(Semispinalis)의 STR

1) 허리뼈에서 뭇갈래근의 위치를 찾는다. 가시돌기로부터 바깥쪽으로 고정하기 위해 보강된 손가락 또는 엄지 손가락을 사용한다; 천천히 척주세움근을 움직이고 뭇갈래근의 치밀섬유(dense fibres) 쪽으로 고정의 깊이를 증가시킨다. 대상자에게 골반을 뒤로 기울이도록 요청한다.
2) 직접적으로 엉치뼈에 뭇갈래근이 포함되도록 하기 위해 마사지 고정을 사용한다; 대상자들에게 골반을 뒤쪽으로 기울이도록 안내한다.

옆으로 누운 자세에서 가로돌기가시근육(Transversospinales) (뭇갈래근(Multifidus), 돌림근(Rotators), 반가시근(Semispinalis)의 STR

1) 엉치뼈: 직접적으로 엉치뼈의 뭇갈래근이 포함되도록 하기 위해 마사지 고정을 사용한다; 대상자가 골반을 뒤쪽으로 기울이도록 안내한다.

2) 허리뼈: 허리뼈의 뭇갈래근의 위치를 찾는다. 가시돌기로부터 바깥쪽으로 고정하기 위해 손가락 관절을 사용한다; 천천히 척주세움근을 움직여 뭇갈래근의 치밀섬유(dense fibres)에 닿기 위해 고정의 깊이를 증가한다. 대상자에게 골반을 뒤로 기울이라고 요청한다.

3) 등뼈: 등뼈의 판고랑으로 천천히 내려 누르기 위해 손가락 관절을 사용한다; 대상자에게 천천히 그들의 등(back)을 아치(arch) 모양으로 만들어 고정 쪽으로 서서히 뒤로 밀도록 요청한다. 조직들을 같은 방법으로 고정하고 대상자들에게 같은 방향으로 돌리도록 안내한다.
   • 깊은 고정을 하기 위한 도움을 위해 치료사의 방향에서 팔꿈치 고정을 시도한다.

옆으로 누운 자세에서 QL의 STR

1) 대상자는 골반을 중립으로 하기 위해 작은 베개를 무릎 사이에 끼운 옆으로 누운 자세를 취한다. QL의 가쪽 가장자리로 천천히 내려 누르기 위해 보강된 엄지를 이용한다; 척주기립근군 보다 더 깊이에서 고정이 열두번째 갈비뼈와 골반 사이에 있도록 확인한다. 대상자에게 그의 엉덩관절을 펴고 모으도록 요구하고(골반을 내리기 위해) 그의 팔을 벌리라고 하여(열두번째 갈비뼈를 올리기 위해), QL에 작은 신장(stretch)을 제공한다.

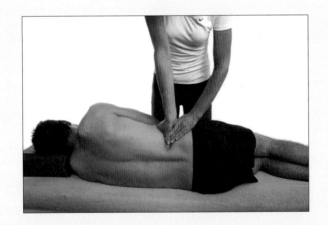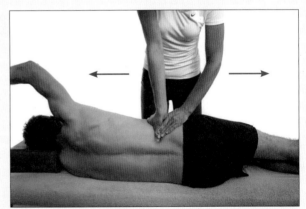

앉은 자세에서 QL의 STR

1) 대상자의 양발이 지면 위에 단단하게 있도록 확인한다. 대상자의 옆에 서서 대상자에게 그의 양손을 반대쪽 무릎에 위치시키도록 요청한다. 대상자가 숨을 내쉴 때 천천히 QL의 가쪽 가장자리 표적에 도달하기 위해 보강된 엄지를 이용한다. 대상자에게 숨을 들이마시면서 손 방향으로 천천히 굽히도록 요구한다; 대상자가 손을 사용하여 스스로 앉은 자세까지 밀면서 되돌아 오면서 압력을 이완한다.

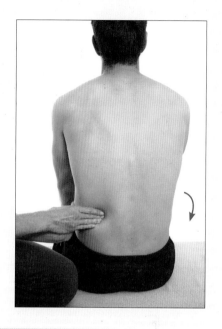

바로 누운 자세에서 배곧은근의 STR

1) 대상자가 무릎 세워 누운 자세를 하도록 하고 대상자에게 반 윗몸 일으키기를 해서 몸통을 굽히도록 요청한다. 배곧은근의 가쪽 가장자리의 양쪽을 고정하기 위하여 손가락들을 사용하고 고정을 두덩뼈(pubis) 쪽 아래 방향으로 향하게 한다. 대상자에게 침상위로 허리를 펴면서 내리도록 요청한다.

2) 두덩뼈와 가깝게 그리고 고정이 가쪽으로 향하도록 마사지 고정을 적용하기 위해 손가락을 사용한다. 대상자에게 반대쪽으로 척추를 가쪽으로 굽히도록 요청한다.

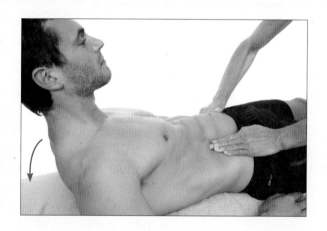

앉은 자세에서 배곧은근의 STR

1) 대상자의 뒤에 서서 대상자에게 척추를 앞쪽으로 약간 굽히도록 요청한다. 근육을 안으로 그리고 약간 아래로 동그랗게 말아(curling) 마사지 고정을 적용하기 위해 손가락을 사용한다; 대상자에게 척추를 뒤로 펴게 하고 신장을 증가시키기 위해 천천히 과도한 폄(hyperextension)을 요청한다.
   • 한번에 한 방향으로 고정하고 대상자에게 척추를 반대 방향 가쪽으로 굽히도록 요청한다.

바로 누운 자세에서 배바깥빗근과 배속빗근의 STR

1) 아래쪽 여덟개 갈비뼈 쪽으로 배바깥빗근에 컵모양으로 만든 당신의 손을 위치시킨다. 대상자에게 몸을 반대 방향으로 돌리도록 요청한다; 고정 점에 손의 압력을 살짝 증가시키고 대상자에게 침상을 향해 등 뒤로 아래로 돌리도록 요구한다. 엉덩뼈능선(iliac crest)으로부터 멀어지게 고정을 적용하고 대상자에게 침상을 향해 뒤로 아래로 돌리도록 요구한다.

   • 고정의 방향은 이완의 효능에 따라 완전히 달라질 것이다.

2) 아래의 세 갈비뼈를 향하는 손가락으로 배속빗근을 고정한다. 대상자에게 몸통을 반대 방향으로 돌리도록 요구한다. 백색선(linea alba)과 배 널힘줄(abdominal aponeurosis)으로부터 멀어지고 엉덩뼈능선으로부터 멀어지게 고정한다; 대상자에게 몸통을 반대 방향으로 돌리도록 요구한다.

앉은 자세에서 배바깥빗근과 배속빗근의 STR

1) 대상자 뒤에 선다. 아래쪽 갈비뼈에서 멀어지고 두덩뼈 방향으로 향해, 각 손을 각 방향으로, 약간 컵 모양으로 한 양손으로 고정한다; 대상자에게 천천히 척추를 펴라고 요구한다. 아래쪽 갈비뼈로부터 멀리 엉덩뼈능선을 향해서 고정한다; 대상자에게 척추를 펴라고 요구한다.

2) 대상자의 옆에 선다. 아래쪽 갈비뼈에서 멀어지고 골반을 향하는 고정을 위해 엄지손가락과 집게손가락을 벌린 한 손을 사용한다; 대상자에게 척추를 다른 방향으로 측면굽힘 하도록 요구한다.

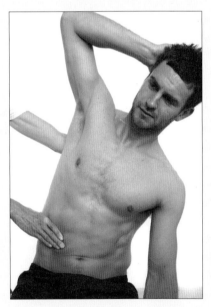

3) 아래쪽 갈비뼈로부터 멀어지게 두덩뼈를 향하는 고정을 위해 손가락을 사용한다; 대상자에게 배바깥빗근을 신장하기 위해 같은 쪽으로 돌리도록 요구한다. 갈비뼈로부터 멀어지게 엉덩뼈능선으로 향하게 고정한다; 대상자에게 배속빗근을 위해 반대방향으로 돌리도록 요구한다.

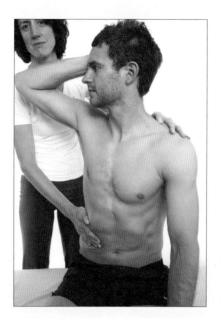 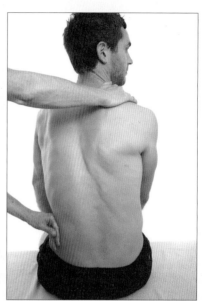

• 얼마나 섬유가 늘어나는지 그리고 어떤 복사근이 다루어지는지에 따라서 고정의 방향을 바꾼다.

바로 누운 자세에서 가로막(Diaphragm)의 STR

1) 대상자가 천천히 들이마실 때, 칼돌기(xiphoid process)의 가쪽, 가슴 우리의 아래쪽 가장자리 밑을 걸기(hook) 위해서 손가락을 부드럽게 사용한다. 이 압력을 유지하고 대상자에게 천천히 숨을 내쉬라고 요구한다.

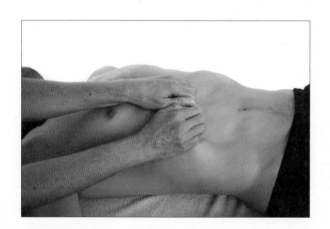 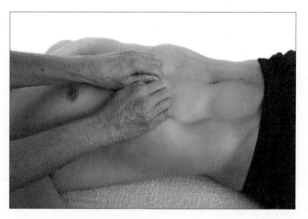

바로 누운 자세에서 속갈비사이근(Internal)과 바깥갈비사이근(External intercostals)의 STR

1) 큰가슴근(pectoralis major)과 작은가슴근(pectoralis minor) 그리고 앞톱니근(serratus anterior)이 이완 되었음을 확인한다. 첫번째 갈비사이 공간, 빗장뼈의 아래쪽과 복장뼈의 가쪽에 마사지 고정을 천천히 적용하기 위해 손가락을 사용한다; 대상자에게 천천히 숨을 들이마시고 내쉬라고 요구한다. 한번에 하나의 갈비사이공간 아래로 내려가면서 고정하고 숨을 쉰다.

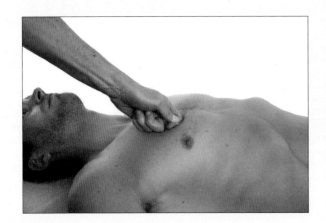 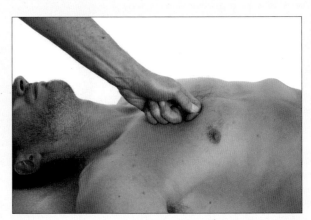

옆으로 누운 자세에서 속갈비사이근과 바깥갈비사이근의 STR

1) 가쪽 갈비사이근을 위해서는 옆으로 누운 자세가 더 쉽다. 마사지 고정을 적용하기 위해 손가락을 사용하고 대상자에게 숨을 들이마시고 내쉬라고 요구한다. 배바깥빗근, 앞톱니근 그리고 넓은등근 보다 깊게 고정하려고 시도한다.

- 단지 속갈비사이근만 있는 작은 앞쪽 부분을 제외하고 바깥갈비사이근으로부터 속갈비사이근을 구별하는 것은 불가능하기 때문에, 둘 모두를 표적으로 하기 위하여 대상자가 숨을 들이마시고 내쉴 때 고정을 유지한다.

등허리근막(Thoracolumbar fascia)의 STR

등허리근막은 넓고, 평평한 다이아몬드 형태의 힘줄이다: 이 것은 얇지만 아주 치밀하다. 이 것은 표면적으로 뒤쪽 가슴을 가로 지나 아래쪽 허리 척추뼈로 향해있고, 엉치뼈를 지나 뒤쪽 엉덩뼈 능선까지 뻗어있다. 가장 표층은 척주기립근의 표면에 있고, 넓은등근은 부분적으로 이것으로부터 기시한다. 중간층은 척주기립근과 QL 사이에 있다. 앞쪽 그리고 가장 얇은 층은 QL의 깊은 곳에 있다. 모든 세 개의 층은 척주기립근의 가쪽 가장자리에서 모이고 복부로 가로질러 뻗고, 복부 근막을 형성하며; 배가로근과 배속빗근은 부분적으로 이 것으로부터 기시한다.

- 등허리근막에 붙어 있는 근육을 치료할 때 마사지 고정을 사용하는 것은 중간과 아래 척추의 효과적인 이완을 제공할 것이고 몸 전체에 결과를 가져올 것이다.

CHAPTER 06

엉덩관절(Hip)

엉덩관절은 윤활 볼과 소켓 관절이다.

이것은 하지가 지면과 상호작용을 할 때 발생되는 큰 힘에 저항이 필요하기 때문에 아주 안정적인 관절이며, 동시에 거의 모든 스포츠 활동뿐만 아니라 일상 생활에서 중요한 과제인 보행을 위해 필수적인 운동성을 가진다. 엉덩관절에 가해지는 힘은 과도 할 수 있는데, 예를 들어, 스키를 탈 때는 체중의 7배이고 달리기를 할 때는 체중의 5배이다.

엉덩관절의 제한은 종종 골관절염(osteoarthritis)과 같은 병을 통해 발생한다.

위팔 오목(어깨) 관절과 같이, 엉덩관절은 안정성을 제공하는데 도움을 주고 제한에 기여하는 관절주머니(capsule)와 테두리(labrum)를 가지고 있다.

이 단락에서는, 책의 나머지 부분과 같이, 우리는 단순히 근육의 영향과 연관된 연부 조직의 제한에 대하여 다룬다.

그러나, 관절면에서 비정상적인 힘과 운동 패턴의 결과가 되는 골관절염과 같은 병은 부분적으로 다루어진다.

엉덩관절의 ROM은 또한 골반과 허리뼈의 상태에 영향을 받는다. 그러므로, 엉덩관절 제한의 임상적 평가를 완성할 때, 골반에 대한 상대적인 넙다리뼈 움직임의 기능과 같이 ROM은 보통 열린 사슬(open chain)에서 측정된다.

실제 환경에서 치료사는 또한 엉덩관절의 제한을 확인하기 위해, 닫힌 사슬(closed-chain) 활동에서의 운동 패턴을 검사할 것이다.

이것은 골반, 허리 그리고 엉덩관절이 동시에 움직이는 방식으로 작용하는 허리골반리듬(lumbopelvie rhythm)(5장에서 논의된)을 검사할 때 특히 중요하다.

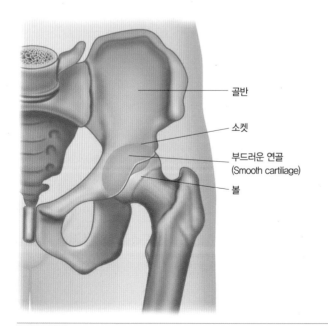

골반

소켓

부드러운 연골
(Smooth cartiliage)

볼

그림 6.1 엉덩관절(Hip joint)

엉덩관절의 운동

열린 사슬 ROM(대표적인 임상적 평가)

'열린 사슬'은 먼쪽 관절/사지(발)가 자유롭게 움직이는 것을 의미한다. 대안적으로, '닫힌 사슬'은 쪼그리고 앉기와 같은 행동을 할 때 정상적으로 체중을 지지하는 것처럼 발이 고정된 것을 의미한다. 엉덩관절의 닫힌 사슬 ROM은 발목관절, 무릎관절 그리고 허리뼈를 포함한 다른 관절에 의해 결정된다(5장에서 논의된 골반과 허리뼈를 보라). 엉덩관절의 수동적 운동의 정상 범위는 표 6.1에서 제시된다.

표 6.1   엉덩관절의 수동적 운동의 정상 범위

운동(Movement)	범위(도)
굽힘(Flexion)	130
폄(Extension)	10
벌림(Abduction)	45
모음(Adduction)	30
굽힘에서 바깥 돌림(External rotation in flexion)	40
폄에서 바깥 돌림(External rotation in extension)	40
굽힘에서 안쪽 돌림(Internal rotation in flexion)	50
폄에서 안쪽 돌림(Internal rotation in extension)	40

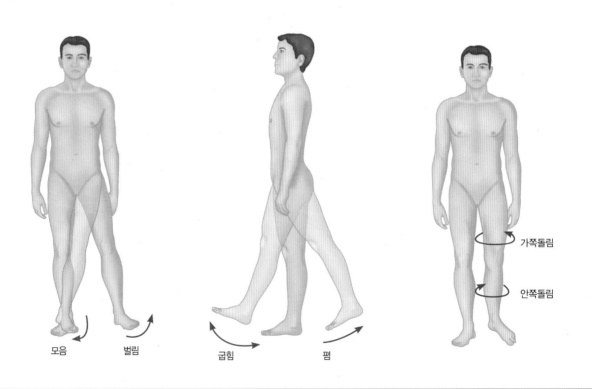

모음   벌림   굽힘   폄   가쪽돌림 / 안쪽돌림

그림 6.2   엉덩관절의 가동 범위

엉덩관절 근육

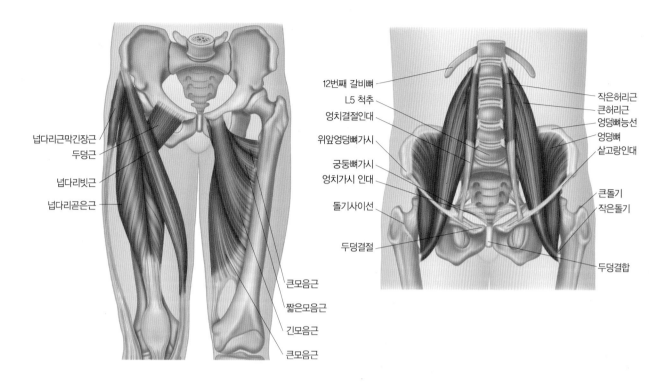

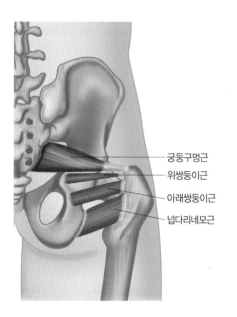

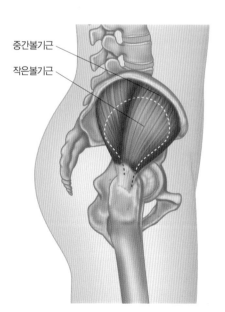

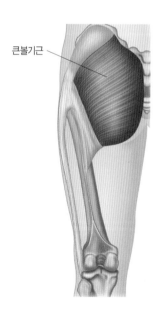

그림 6.3 엉덩관절의 근육들

표 6.2 엉덩관절에서 근육의 운동.스포츠와 일상 생활에서 엉덩관절 제한의 효과

근육	엉덩관절의 운동					
	안쪽돌림 Internal (medial) rotation	바깥돌림 External (lateral) rotation	굽힘 Flexion	폄 Extension	벌림 Abduction	모음 Adduction
큰(Psoas major)/ 작은 허리근(Psoas minor)	▨	▨	■			
엉덩근(Iliacus)	▨	▨	■			
큰볼기근(Gluteus maximus)		▨		■		
중간볼기근(Gluteus medius)	▨	▨			■	
작은볼기근(Gluteus minimus)	▨				■	
두덩근(Pectineus)			▧			■
짧은모음근(Adductor brevis)	▨					■
긴모음근(Adductor longus)			▧			■
큰모음근(Adductor magnus)				▨		■
궁둥구멍근(Piriformis)	▧	■				
쌍둥이근(Gemli)		■				
넙다리네모근(Quadratus femoris)		■				
바깥폐쇄근(Obturator externus)		■				
넙다리곧은근(Rectus femoris)		▧	■		▧	
넙다리빗근(Sartorius)		▧	▧		▧	
넙다리근막긴장근 (Tensor fasciae latae;TFL)	▨		■		▧	

기호설명(Key)	■ 주요한 역할(Primary role)	▨ 이차적 역할(Secondary role)	▧ 가능한 역할

표 6.3 엉덩관절 운동에서 근육 제한의 효과

근육	긴장(Tightness)/제한(Restriction)의 효과
허리근(Psoas)	감소된 엉덩관절 폄. 몸통의 자세에 따라 증가된 또는 때때로 감소된 허리 척주앞굽음(lordosis). 몸통의 가쪽 굽힘이 감소될 가능성.
엉덩근(Iliacus)	감소된 엉덩관절 폄. 증가된 허리 척주앞굽음의 보상으로 증가된 앞쪽 골반 기울임.
큰볼기근(Gluteus maximus)	엉덩관절 굽힘, 안쪽 돌림 제한. 스포츠 활동시 증가된 허리뼈 운동.
중간볼기근(Gluteus medius)	긴장된 쪽으로 잠재적인 골반 기울임(pelvic tilt). 감소된 모음.
작은볼기근(Gluteus minimus)	긴장된 쪽으로 잠재적인 골반 기울임. 감소된 모음. 잠재적으로 증가된 안쪽 돌림.
두덩근(Pectineus) 짧은모음근(Adductor brevis) 긴모음근(Adductor longus) 큰모음근(Adductor magnus)	가위걸음(scissor gait)과 감소된 보폭을 포함하는, 보행에서의 많은 잠재적 변화. 감소된 엉덩관절 벌림.
궁둥구멍근(Piriformis) 쌍둥이근(Gemelli) 넙다리네모근(Quadratus femoris) 바깥폐쇄근(Obturator externus)	비록 궁둥구멍근의 제한이 엉덩뼈신경통(sciatica)과 관련이 있을지라도 개별 제한을 찾는 것이 어렵다.
넙다리곧은근(Rectus femoris)	보행에서 엉덩관절 폄 제한과 가쪽 돌림에 영향을 미칠 수 있다(무릎관절 굽힘과 엉덩관절 폄이 결합된 근육 제한의 영향에 주목한다).
넙다리빗근(Sartorius)	엉덩관절 폄의 감소 가능성.
넙다리근막긴장근(엉덩정강근막띠) (Tensor fasciae latae (Illiotibial band))	엉덩관절 폄, 모음 그리고 가쪽 돌림 제한의 잠재. (이러한 효과는 무릎관절 운동과 함께 더 뚜렷하다는 것에 주목한다).

스포츠와 일상 생활에서 엉덩관절 제한의 효과

자전거타기

자전거타기는 원동력(prime movers)으로 또는 길항근(antagonist) 조절 근육으로 작용함으로써 모든 엉덩관절 근육의 사용이 요구된다. 엉덩허리근(iliopsoas)의 제한은 잠재적으로 허리 통증을 증가시키고 하지의 다리 폄(extension)이나 바깥 돌림(external rotation)의 보상적 단축(shortening)을 야기한다. 대퇴근막긴장근(tensor fasciae latae; TFL)의 긴장(tightness)은 엉덩관절, 무릎관절 그리고 발목관절의 협응에 영향을 주어서, 덜 효율적인 자전거타기 방식을 야기할 수 있다. 장기적으로 이 것은 또한 넙다리돌기 윤활낭염(trochanteric bursitis)을 야기할 수 있다.

스키

거의 모든 형태의 경쟁을 하는 스키는 강한 안정성이 동반된 엉덩관절 운동성의 큰 각도가 요구된다. 새로운 스키 기술은 또한 취미로 스키를 타는 사람이 카빙스키(carving skiing)를 마음껏 할 수 있도록 더 쉽게 만들어졌다. 이 기술은 스키를 회전하기 위해 엉덩관절을 벌리고 회전 힘을 적용하는 것을 요구하고, 오르막길 동안에 회전할 때 올바른 균형을 유지하기 위해 엉덩관절은 모으고 굽혀야만 한다. 오르막을 오를 때 엉덩관절에서 볼기근(gluteal) 또는 엉덩정강근막띠(Iliotibial band; ITB)의 긴장(tightness)은 스타일에 영향을 줄 것이고, 내리막길에서 모음근 긴장은 회전 쪽으로 다리를 낮추는(drop) 능력을 제한할 것이다.

앉기와 물건 줍기

낮은 의자에 앉거나 물건을 줍기 위한 구부리기를 위해 필수적인 엉덩관절 굽힘은 볼기근이 긴장했을 때 제한된다. 이 긴장은 물건을 주울 때 종종 허리뼈에서 증가된 굽힘을 야기하고 잠재적으로 허리 통증을 증가시킨다. 낮고, 푹신한 의자에 앉을 때, 긴장된 볼기근을 가진 사람은 그들 스스로가 조절된 운동을 사용하는 대신에 의자의 뒤쪽으로 떨어진 것을 발견할 수 있다. 또한 다른 앉은 자세에 있을 때, 긴장된 엉덩관절 폄근의 결과로, 감소된 넙다리(thigh)-몸통 각도와 함께 정상 허리 척주앞굽음이 감소된 것이 나타나며, 이 것은 더 큰 요통과 관련되어 있다.

엉덩관절에서 연부 조직 이완

서 있을 때와 앉아있을 때 대상자의 골반 자세를 기록한다.

능동적으로 그리고 수동적으로 엉덩관절 ROM을 통해 점검한다.

바로 누운 자세에서 큰 허리근과 작은 허리근의 STR

1) 대상자를 무릎관절을 굽혀 누운(crook lying) 자세로 위치시킨다. 손가락을 배꼽 수준에서 배곧은근 모서리의 가쪽
   에 위치시킨다. 대상자가 숨을 내쉴 때 압력을 부드럽게 적용한다. 그곳에는 허리근 전까지 느껴지는 근육 조직과 근
   막의 많은 층이 있다. 수축으로 허리근의 단축을 느낄 수 있을 것이다(대상자에게 엉덩관절을 굽히도록 요구한다). 일
   단 위치를 찾으면, 대상자가 이완하게 하고, 대상자에게 그의 뒤꿈치를 침상 위에 유지하면서 다리를 펴는 것으로 엉
   덩관절을 천천히 펴도록 요구한다.

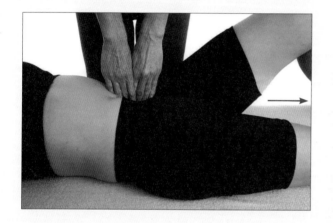 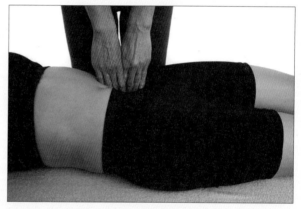

- 서두르지 않는다. 그리고 만약 대상자가 복부에 어떠한 통증이라도 느낀다면 더 이상 깊이 들어가려고 시도하지
  않는 것이 중요하다. 종종, 특히 근막에 제한이 있을 수 있고, 압력이 위로 올라오면 깊은 압력을 가하려고 시도
  하는 것 보다 치료를 그 수준에서 하는 것이 중요하다.
- 만약 확신이 안 서면, 모두를 치료하는 것을 피하고 대신에 엉덩근(iliacus)과 엉덩허리근(iliopsoas)의 힘줄에 집
  중한다.

바로 누운 자세에서 엉덩근의 STR

1) 대상자를 무릎관절을 굽혀 누운 자세로 위치시킨다. 위잎엉덩뼈가시(anterior superior iliac spine; ASIS)의 바로 가쪽에서 시작해서 천천히 치료사의 손가락을 엉덩근쪽으로 활주한다. 치료사의 손가락이 가능한 한 엉덩뼈(ilium)의 안쪽과 가깝게 유지한다. 대상자에게 천천히 그의 엉덩관절을 펴도록 요구한다.

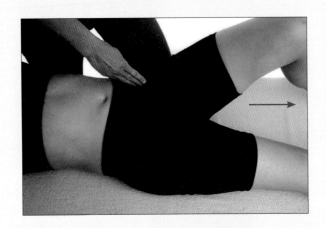 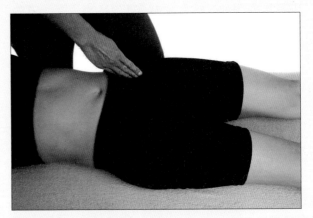

- 만약 여기서 어떠한 제한이라도 있다면, 단지 엉덩뼈의 능선(crest) 위를 걸고(hook)있는 것이 가능할 수 있고 전혀 엉덩근 쪽으로 밀어 누르지 않는다. 이 부분을 신장한다. 만약 STR이 반대쪽에 수행된다면, 원래의 방향(original side)은 종종 이 것이 완료될 때 이완되어 있을 것이고, 그래서 더 깊은 고정이 이루어질 수 있다.

옆으로 누운 자세에서 엉덩근의 STR

1) 옆으로 누운 대상자에게, 손가락을 엉덩근 쪽으로 부드럽게 만다. 대상자가 엉덩관절을 펴도록 요구한다.
   - 엉덩관절을 펴는 동안 골반이 중립으로 유지되도록 확인한다.

옆으로 누운 자세에서 넙다리곧은근(Rectus femoris), 넙다리빗근(Sartorius) 그리고 대퇴근막긴장근(TFL)의 STR

1) 대상자의 뒤에 서서 치료사의 팔로 그의 굽힌 무릎을 지지한다. 넙다리빗근의 이는 곳(origin) 쪽으로 ASIS로부터 멀어지는 방향으로 고정하기 위해 치료사의 손가락을 사용한다. 엉덩관절을 펴거나 대상자에게 능동적인 STR을 위해 펴라고 요구한다. 대상자에게 그의 엉덩관절을 펴라고 요구한다.
2) 아래앞엉덩뼈가시(AIIS)로부터 멀어지는 직접 압력을 가하고 안쪽으로 걸기(hook) 위해 손가락을 사용한다; 대상자에게 엉덩관절을 펴라고 요구한다.

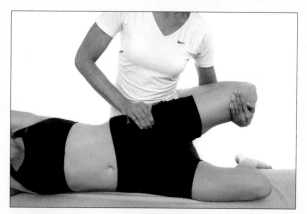

- 이 부위는 간지럼을 잘 타거나 민감할 수 있어서, 고정 된 것이 확실하면, 갑자기 급하게 촉진 하지 말아야 한다.
- 대상자에게 더 섬세한 신장을 위해 골반을 뒤로 기울이라고 요구한다.

3) 대퇴근막긴장근을 위해, 뒤에 서고 팔꿈치로 고정하고, 압력을 주기 위해 양 손을 함께 깍지를 낀다. 대상자에게 엉덩관절을 펴라고 요구한다.

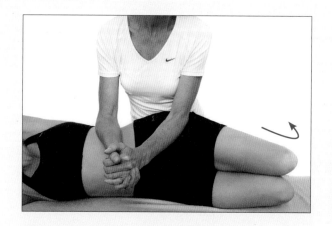
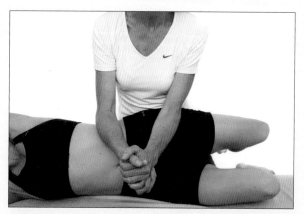

- 이 부위에 근막은 특히 치밀하기 때문에 CTM 고정은 좋은 이완을 제공할 것이다. 압력을 적용하고, 깊이를 유지하고 고정을 치료사 쪽를 향해 가쪽으로 움직인다; 대상자에게 늘리도록 요구한다.

바로 누운 자세에서 넙다리곧은근, 넙다리빗근 그리고 대퇴근막긴장근의 STR

1) ASIS로부터 멀어지는 방향으로, 안쪽과 아래쪽으로 고정을 적용한다; 넙다리곧은근과 넙다리빗근을 위해 아래쪽으로, 대퇴근막긴장근을 위해 ASIS로부터 가쪽으로 고정한다. 대상자가 골반을 뒤쪽으로 기울이도록 안내한다.

2) 넙다리곧은근의 힘줄을 가로 지나서 CTM 고정을 적용하기 위해 보강된 엄지손가락을 이용한다; 대상자에게 그의 엉덩관절을 펴기 위해 침상을 따라 그의 다리를 뻗으라고 요구한다.

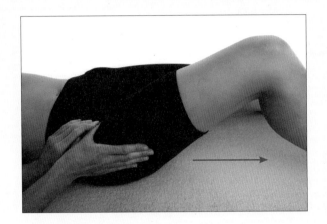
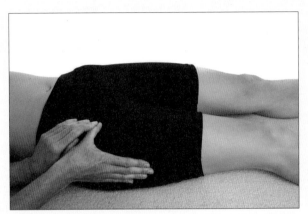

3) 침상의 반대쪽에 서고 무릎을 대상자의 가까운쪽 가쪽 엉덩관절에 위치시킨다. 가로질러 기대고 그의 반대쪽 대퇴근막긴장근을 손가락으로 걸고 가쪽 가장자리로부터 안쪽 가장자리까지 부드럽게 CTM 고정을 당긴다. 대상자에게 그의 엉덩관절을 가쪽으로 돌리라고 요구한다.

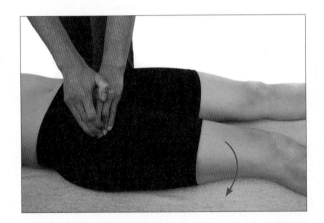
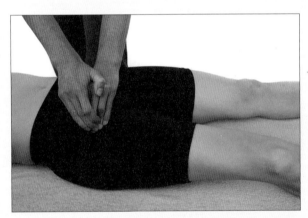

엎드린 자세에서 큰볼기근(Gluteus maximus)의 STR

1) 무릎을 90도로 굽히고, 발목관절을 부드럽게 잡는다. 큰볼기근을 고정하기 위해 손바닥 힐(heel), 주먹 또는 팔꿈치를 사용한다; 엉덩관절을 안쪽 돌림으로 돌린다. 엉덩뼈능선으로부터 멀어지게 고정하고, 엉치뼈로부터 멀어지게 고정하고 근육의 힘살(belly)에 고정한다; 근육이 이완되면서 천천히 더 깊은 압력을 준다. 엉덩관절을 안쪽돌림(medial rotation)으로 움직인다.

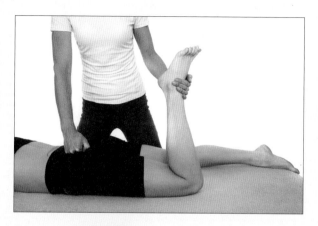
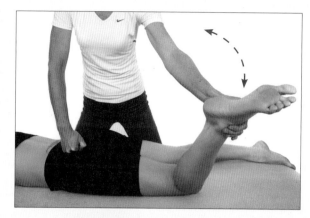

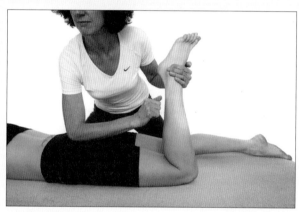
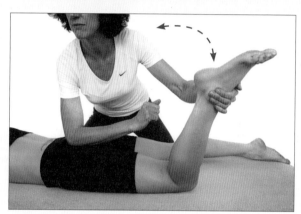

2) 수동적 STR 은 수행하기 쉽고 매우 효과적이지만, 능동적 STR 은 특히 치밀 조직에 유용하다; 이 것은 또한 감소된 ROM을 가진 사람에게 유익하다(편안한 범위 내에서 실시한다). 고정을 적용하고 대상자에게 그의 엉덩관절을 안쪽으로 돌리라고 요구한다; 아마도 그의 가쪽 발목에 손을 대고 올바른 운동으로 안내하는 것이 필요할 것이다.

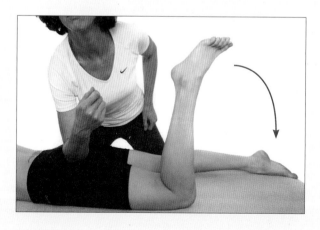
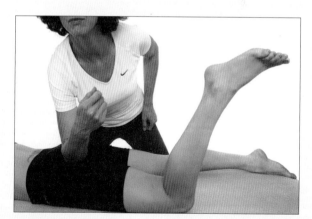

- 엉덩뼈와 엉치뼈 부착에서 CTM 고정을 사용한다.
- 치료 전에 양 쪽으로 안쪽 돌림 ROM을 비교한다.
- 안쪽 무릎에 스트레스를 줄 정도로 너무 멀리 다리를 이동하는 것을 피한다. 골반은 중립 자세에 반드시 유지되어야 한다.

옆으로 누운 자세에서 큰볼기근의 STR

1) 대상자를 양쪽 무릎을 붙이고 굽혀 옆으로 누운 자세로 위치시킨다. 고정을 적용하고 대상자에게 엉덩관질을 굽히라고 요구한다. 엉덩뼈로부터 멀리 고정한다; 엉치뼈로부터 멀리 고정한다.
2) 볼기근선(gluteal line)에 부착되어 있는 큰볼기근 아래를 말기(curl) 위해 보강된 엄지손가락을 사용한다.
   - 이 치료 방법은 허리뼈에 수행된 STR과 잘 연결된다.

엎드린 자세에서 중간볼기근과 작은볼기근의 STR

1) 무릎을 90도 굽힌 상태로, 부드럽게 발목관절을 잡는다. 중간볼기근을 고정하기 위해 팔꿈치 또는 주먹을 사용한다. 엉덩관절을 가쪽 돌림으로 움직인다. 작은볼기근에 영향을 미치기 위해 중간볼기근을 통해 깊은 고정으로 진전한다. 작은볼기근의 뒤쪽 섬유를 치료하기 위해, 고정을 적용하고 엉덩관절을 안쪽 돌림으로 움직인다.
   - 근육들이 종종 억제되고 긴장된 과민성 근막을 가질 수 있기 때문에, 여기서 CTM 고정은 잘 작용한다. 좋은 이완은 근력 강화 프로그램을 강화할 것이다.

옆으로 누운 자세에서 중간볼기근, 작은 볼기근 그리고 대퇴근막긴장근의 STR

1) 대상자를 침상의 끝으로 가능한 한 멀리 옆으로 누운 자세로 위치시킨다. 그의 굽힌 위쪽 다리를 들어올려, 무릎관절을 지지하고, 근육을 단축시키기 위해 외전한다. 손바닥 힐(heel)을 사용해 고정하거나 또는 더 깊은 고정을 위해 두 번째 또는 세번째 주먹결절을 사용한다; 천천히 엉덩관절을 모으는 방향으로 다리를 아래로 떨어뜨린다.

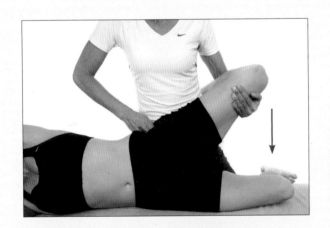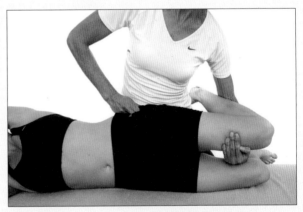

2) 대상자를 양쪽 무릎을 붙이고 굽혀서 옆으로 누운 자세로 위치시킨다. 그에게 그의 발목을 붙인 상태로 유지하면서 무릎관절을 들어올리라고 요구한다. 단축된 중간볼기근에 고정을 적용하고 그에게 엉덩관절이 모아지도록, 그의 무릎관절을 천천히 떨어뜨리라고 요구한다. 작은볼기근을 위해 더 깊은 고정을 적용한다.

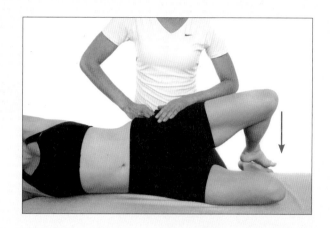 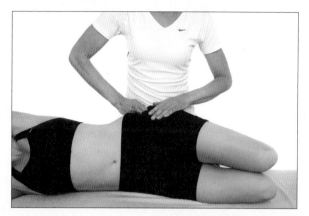

3) 대퇴근막긴장근을 치료하기 위해, 대상자에게 양 발목을 붙힌 상태로 유지하면서 무릎관절을 들어올리라고 요구하고, 치료사의 손가락 또는 팔꿈치를 이용하여서, 대퇴근막긴장근을 고정한다; 대상자에게 엉덩관절 모음을 위해 그의 무릎관절을 뒤 아래로 떨어뜨리거나 또는 그의 엉덩관절을 굽히라고 요구한다.

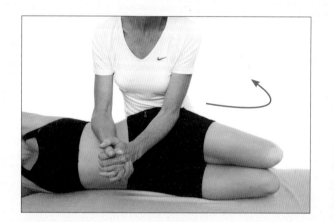 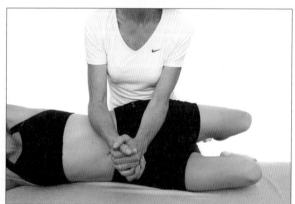

- 이 근육들의 역할이 안정성이고 그것들이 결합조직의 두꺼운 근막띠: 엉덩정강근막띠와 만난다는 사실 때문에 근막이 공통적으로 두꺼워져있어서, CTM 고정은 여기서 가장 효과적인 이완을 제공할 것이다.

엎드린 자세에서 깊은 가쪽 돌림근들의 STR

1) 큰볼기근이 이완되어있다는 것을 확인한다. 무릎관절을 90도 굽힌 상태에서, 부드럽게 발목관절을 잡는다. 큰볼기근을 통과하여 궁둥구멍근(piriformis)의 힘살에 천천히 깊은 압력을 적용하기 위해 팔꿈치를 사용한다(엉치뼈의 중간과 큰돌기(greater trochanter) 사이의 절반). 이 압력을 유지하고 엉덩관절을 안쪽 돌려준다.

2) 무릎을 90도 굽힌 상태에서, 부드럽게 발목을 잡는다. 넙다리네모근(quadrates femoris)을 찾기 위해 치료사의 손가락을 사용한다(큰돌기와 궁둥뼈결절(ischial tuberosity) 사이의 절반). 엉덩관절을 안쪽 돌림으로 움직인다.

- STR은 능동적으로 수행될 수 있지만, 사람들은 종종 기준점이 없으면 어려워한다. 대상자의 가쪽 복사뼈에 치료사의 손을 위치시키고 요구되는 운동을 안내한다.

옆으로 누운 자세에서 깊은 가쪽 돌림근들의 STR

1) 대상자를 양쪽 무릎관절을 모으고 굽힌 상태로 옆으로 누운 자세로 위치시킨다. 천천히 궁둥구멍근에 고정을 적용한다. 대상자에게 그의 발목관절을 들어 안쪽 돌림을 하도록 요구한다.

 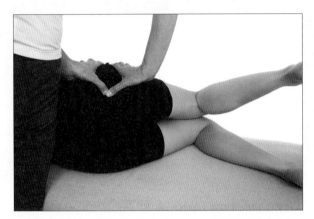

2) 큰돌기 주변 점을 고정하고, 매번 대상자에게 그의 발목관절을 들어올리라고 요구한다. 이 것은 모든 가쪽 돌림근에 영향을 미칠 것이다; 또한 골반과 궁둥뼈 쪽으로 고정한다.

- 이 것은 더 정확할 수 있고 엎드린 자세에서보다 실행하기 더 쉬울 수 있다. 이 것은 또한 능동적 STR을 수행하기에 더 쉽다.
- 큰돌기 주변 조직을 이완시키는 것은 골반 전체에 상당한 영향을 미친다.

바로 누운 자세에서 뒤넙다리근의 STR

1) 대상자가 엉덩관절을 굽히고 그의 하퇴(lower leg)가 치료사의 어깨에 놓이게 위치시킨다. 손가락으로 또는 손가락으로 보강된 엄지손가락으로 이는 곳(origin)으로부터 멀리 고정한다; 치료사의 어깨로 대상자의 다리를 엉덩관절 굽힘이 되도록 천천히 올린다. 뒤넙다리근의 이는 곳에서 CTM 고정을 사용한다.

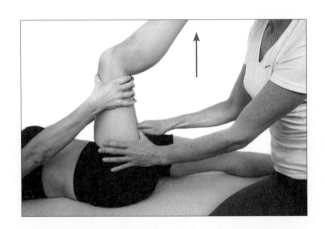 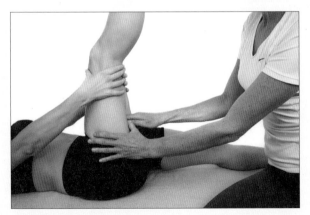

2) 같은 자세에서 대상자에게 무릎관절 뒤를 잡으라고 요구한다. 이는 곳으로부터 멀리 고정하고 대상자에게 엉덩관절 굽힘을 위해 그의 무릎관절을 앞으로 당기라고 요구한다.

옆으로 누운 자세에서 뒤넙다리근의 STR

1) 대상자를 양쪽 무릎관절을 붙히고 굽힌 상태로 옆으로 누운 자세에 위치시킨다. 뒤넙다리근의 이는 곳에 CTM 고정을 적용하기 위해 손가락 또는 보강된 엄지손가락을 사용한다; 대상자에게 엉덩관절을 굽히라고 요구한다. 궁둥뼈로부터 멀리 고정을 적용하고, 대상자에게 그의 엉덩관절을 굽히라고 요구한다. 더 큰 신장을 위해, 대상자에게 엉덩관절을 굽히고 무릎관절을 펴라고 요구한다.

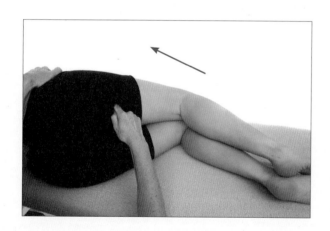
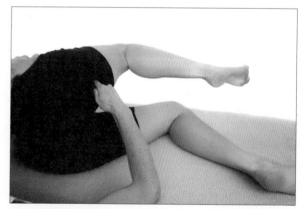

바로 누운 자세에서 모음근들의 STR

1) 대상자의 무릎관절이 굽혀지고 엉덩관절이 가쪽으로 돌아간 상태에서, 침상에 앉는다; 그의 무릎관절을 치료사의 손으로 지지하고 두덩뼈로부터 멀어지는 방향으로 고정한다. 엉덩관절 벌림을 위해 부드럽게 그의 무릎관절을 떨어뜨리거나 대상자에게 능동적 STR을 위해 치료사의 손쪽으로 무릎관절을 밀도록 요구한다.

 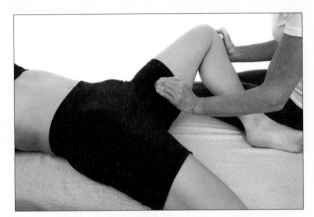

2) 대상자의 무릎관절의 아래에 치료사의 다리를 위치시키고 이는 곳으로 근접한 곳에 CTM 고정을 적용한다; 대상자에게 치료사의 다리 쪽으로 벌리라고 요구한다.

3) 대상자를 침상의 끝에 바로 누운 자세로 위치시킨다; 대상자의 굽힌 무릎관절이 침상의 끝에 걸치게 하고, 대상자의 다른 쪽 다리를 잡고 그의 발목관절을 치료사의 엉덩이에 위치시킨다. 치료사는 대상자에게 엉덩관절을 벌리도록 안내하면서 두덩뼈로부터 멀리 고정하기 위해 치료사의 손가락을 이용한다. 이것은 대상자가 엉덩관절을 굽힘으로 움직일 수 있어서, 큰모음근(adductor magnus)을 치료하기 위해 가장 좋은 자세이다.

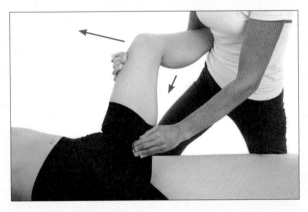

- 이 것은 치료를 할 때 간지럼을 잘 타거나 민감할 수 있는 부위이다. 편안한 ROM 내에서 치료를 해야만 한다.
- 만약 모음근들이 특히 긴장되었다면, 고정하기 전에 모음으로 근육의 길이를 줄인다.
- 골반을 중립으로 유지하도록 돕기 위해 침상의 다른쪽에 걸쳐있는 반대쪽 다리를 거는 것(hooking)을 시도한다.

선 자세에서 모음근들의 STR

1) 대상자가 어깨넓이보다 약간 더 발을 벌려서, 안정하게 지지하고 서 있는 것을 확인한다. 대상자의 다리를 가쪽으로 낮추고 손가락을 이용해서 긴모음근(adductor longus)의 섬유에서 두덩뼈로부터 먼쪽으로, 안쪽 아래쪽으로 고정한다. 대상자에게 근육의 신장을 시작하기 위해 그의 반대쪽 무릎관절을 굽히라고 요구한다.

- 이것은 아주 강하고 역동적
  인 이완이고 스포츠 동작
  에서 수행을 위해 유용한
  기술이다.

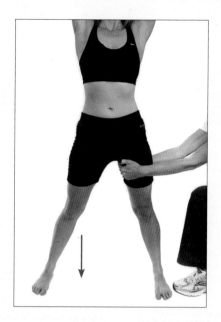

선 자세에서 뒤넙다리근과 큰모음근의 STR

1) 대상자가 안정적인 지지로
   서 있는 것을 확인한다; 한
   발은 앞을 향하고 다른 발
   은 45도로 위치한다. 그의,
   45도에 있는, 다리를 가쪽
   으로 낮추고, 뒤넙다리근
   또는 큰모음근의 섬유 쪽으
   로, 궁둥뼈로부터 먼쪽으
   로, 안쪽 아래로 고정하기
   위해 손가락을 사용한다.
   대상자에게 근육의 신장을
   시작하기 위해 반대쪽 무릎
   관절을 굽히도록 요구한다;
   치료하는 근육의 신장을 위
   해 발의 자세를 변경한다.

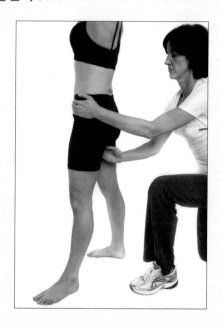

CHAPTER

07

무릎관절(Knee)

하지의 부분으로, 무릎관절은 흔히 엉덩관절과 발목관절과 연결된 공통된 많은 근육을 가지고 있고, 임상 현장(clinical setting)에서 사슬(chain)의 일부분으로 검사되어야만 한다.

공통적인 근육(common muscle)의 제한은 엉덩관절이나 발목관절과 비교하였을 때 무릎관절에서는 완전하게 다른 영향을 미칠 수 있다.

무릎 관절은 정강넙다리뼈관절이지만, 이 책의 내용에서 우리는 주변에 인접 관절들을 포함하여 무릎 관절 복합체(knee joint complex; KJC)로 간주할 것이다.

- 정강넙다리뼈 관절
- 무릎넙다리뼈 관절
- 몸쪽 정강종아리뼈 관절

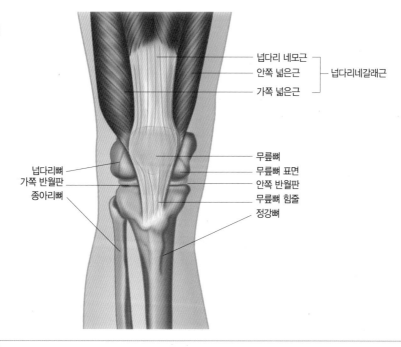

넙다리 네모근	넙다리네갈래근
안쪽 넓은근	
가쪽 넓은근	
넙다리뼈	무릎뼈
가쪽 반월판	무릎뼈 표면
종아리뼈	안쪽 반월판
	무릎뼈 힘줄
	정강뼈

그림 7.1 무릎 관절 복합체(KJC)

KJC는 엉덩관절과 비교했을 때 그 안정성이 떨어지고 보행에서 필수적인 역할을 하기 때문에, 스포츠나 일상생활에서 넘어지거나 미끄러졌을 때 가장 흔히 손상 받는 관절 중에 하나이다. KJC는 신체에서 가장 큰 관절이고, 평지 보행시 각 관절을 통해서 몸무게의 3배의 평균 최고 힘(average peak force)을 만들어 낸다.

KJC 의 운동

정강넙다리뼈 관절(Tibiofemoral joint)

정강넙다리뼈 관절은 종종 굽힘과 폄만 가능한 단순한 경첩관절로 보여진다. 넙다리뼈 가쪽과 안쪽 돌기의 모양과 반달연골, Q 각도 그리고 근육 구조 사이의 차이로 인해, 실제로는 관절운동학과 뼈운동학에서는 단순한 경첩관절의 특징과는 거리가 있다.

정강넙다리뼈 관절의 기본적인 평가는 열린 사슬 상황에서 넙다리 뼈에 대한 정강뼈의 운동을 보면서 측정된 전형적인 관절가동범위를 알려준다.

폄	0-2도(과도함 폄)	굽힘	140도

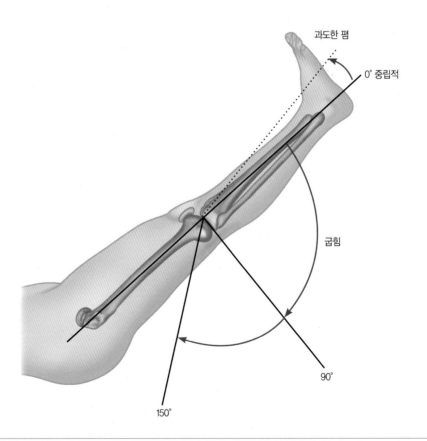

그림 7.2   무릎관절의 관절가동범위

일상생활에서, 무릎 관절의 움직임은 종종 의자에 앉거나 스쿼트와 같이 발이 고정되고 정강뼈에 대해 넙다리뼈가 움직이는 닫힌 사슬로 나타난다. 무릎관절의 운동은 이러한 상황들에서 발목관절과 엉덩관절에서의 움직임과 크게 연관되어 있다.

정강뼈와 넙다리뼈의 3차원적인 평가에서 굽힘은 넙다리뼈의 가쪽돌림과 함께, 넙다리뼈의 굴림(rolling), 모든 축의 전이(translation[활주, gliding])와 함께 시작한다는 것이 증명되었다. 그러므로 정강넙다리뼈 관절은 6개의 자유도를 보여준다.

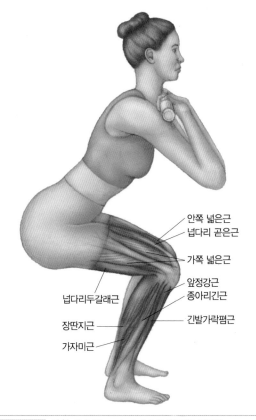

안쪽 넓은근
넙다리 곧은근
가쪽 넓은근
앞정강근
종아리긴근
넙다리두갈래근
긴발가락폄근
장딴지근
가자미근

그림 7.3 닫힌 사슬(Closed-chain) 무릎관절 움직임

표 7.1 정강넙다리뼈 관절(Tibiofemoral)의 움직임

	넙다리뼈 움직임(Femoral motion)		정강뼈 움직임(Tibial motion)	
	굴림(Rolling)	돌림(Rotation)	굴림(Rolling)	돌림(Rotation)
굽힘(Flexion)	뒤쪽(Backward)	가쪽(Lateral)	앞쪽(Forward)	안쪽(Medial)
폄(Extension)	앞쪽	안쪽	뒤쪽	가쪽

앞쪽-뒤쪽 넙다리뼈의 전이(translation)의 정도는 매우 적은 것부터 2cm까지 다양한 수치로 논란의 대상이 된다. 이것은 개인마다 다양하겠지만, 주지해야 할 중요한 사항은 그것이 얼마나 작게 또는 크게 발생하든지 간에 이 운동이 일어나는 것은 필요한 것 같다. 앞뒤의 전이(translation)는 십자인대에 의해서 제한되는 반면에, 안쪽 그리고 가쪽의 전이는 관절의 모양, 반달연골, 인대 그리고 다른 연부 조직에 의해 제한된다.

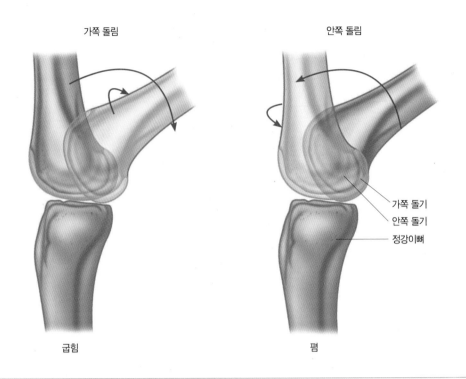

가쪽 돌림   안쪽 돌림

가쪽 돌기
안쪽 돌기
정강이뼈

굽힘   폄

그림 7.4   정강뼈(Tibia)에 대한 넙다리뼈(Femur)의 굽힘 – 앞쪽 전이(Translation)를 동반한 굴림(Roll)

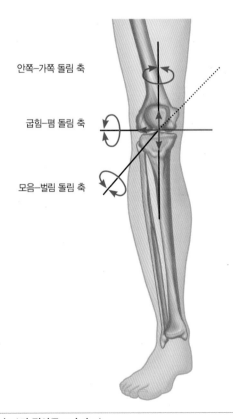

안쪽–가쪽 돌림 축

굽힘–폄 돌림 축

모음–벌림 돌림 축

그림 7.5   무릎관절의 돌림(Rotation)과 전이(Translation)

스크류-홈 기전(Screw-Home Mechanism)

걸을 때 안정성을 유지하기 위해서 그리고 똑바로 설 때 넙다리네갈래근의 활성도를 감소시키기 위해서 무릎관절은 '스크류-홈 기전'으로 알려진 독특한 움직임을 가지고 있다. 수동 또는 능동적인 무릎관절의 폄에서, 완전히 폄에서부터 20도 굽힘까지 넙다리뼈와 정강뼈 사이에서 돌림이 발생한다. 정강뼈는 유각기(swing pase)에서 안쪽으로 돌아가고 입각기(stance phase)에서 바깥쪽으로 돌아간다. 이러한 움직임은 십자인대들의 긴장과 결합 되어 있다.

무릎 관절을 굽힐 때, 가쪽과 안쪽 돌림의 양은 측정하기어렵다: 12-80도 사이로 다양하게 추산되며 완전히 펴진 무릎관절에서는 사실상 돌림이 없다. 걷는 동안에, 추산된 돌림은 8-15도 사이이다. 입각기에서 안쪽 돌림이 발생하고; 유각기에서 바깥돌림이 발생한다.

무릎넙다리뼈 관절(Patellofemoral Joint)

무릎넙다리뼈 관절은 무릎뼈와 넙다리뼈 사이에 관절로 구성되어 있다. 무릎뼈의 아래면의 모양은 두 면(facet)과 가운데 융기(central ridge)로 구성되어 있고, 이 것은 넙다리뼈 돌기(femoral condyles)로 형성된 고랑(sulcus) 사이를 활주(slide) 한다. 비록 전이(translation)와 돌림의 두 가지 중요한 운동을 가지고 있더라도, 이 운동은 무릎넙다리뼈 관절의 동작을 위해 중요하다.

무릎뼈는 먼쪽-가까운쪽 그리고 가쪽-안쪽 전이(translation)를 가지고 있다. 무릎관절의 굽힘이 일어나는 시점에서 제한된 안쪽 전이(translation)가 수반된 무릎관절의 굽힘과 함께 무릎뼈는 먼쪽으로 움직인다. 7cm 정도 먼쪽으로 활주가 일어나는 것으로 추산된다.

무릎뼈의 돌림은 잘 이해되지 않지만, 일반적인 의견은 안쪽-가쪽 그리고 앞쪽-뒤쪽의 축을 중심으로 돌림이 가능하다는 것이다.

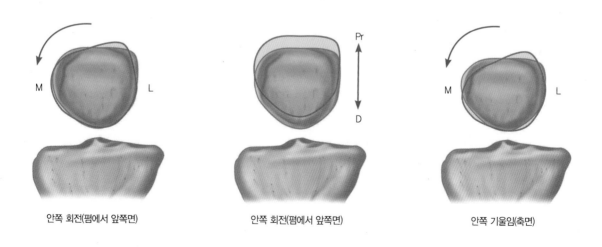

안쪽 회전(폄에서 앞쪽면)　　　안쪽 회전(폄에서 앞쪽면)　　　안쪽 기울임(축면)

그림 7.6　무릎뼈(Patella) 움직임

가까운쪽 정강종아리뼈 관절(Proximal Tibiofibular Joint)

무릎관절의 굽힘과 폄은 정강뼈 돌림과 함께 발생한다. 정강뼈의 안쪽과 바깥쪽 돌림을 하기 위해서, 정강뼈와 종아리뼈 사이의 공간에서 움직임: 앞쪽-뒤쪽 전이(translation), 위쪽-아래쪽 전이(translation)와 돌림이 발생한다 이러한 움직임들은 짝(coupled)으로 일어나며 무릎관절과 발목관절의 위치에 달려있다. 운동을 정량화한 연구는 아직 제한적이고, 임상가들은 만약 여기의 운동이 손상을 받으면, 전반적인 KJC 움직임이 너무 많이 일어날 것이라고 가정해야 한다.

무릎 관절 근육

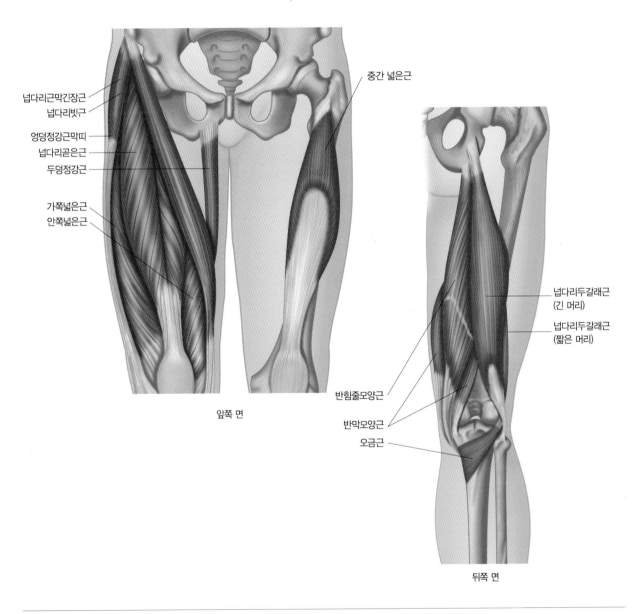

앞쪽 면

뒤쪽 면

그림 7.7 무릎 관절 근육

표 7.2 무릎관절에서 근육 운동

근육	무릎관절의 운동			
	안쪽(내측) 돌림	바깥쪽(가쪽) 돌림	굽힘	폄
넙다리네갈래근(Quadriceps)				
넙다리곧은근(Rectus femoris)				■
가쪽넓은근(Vastus lateralis)				■
중간넓은근(Vastus intermedius)				■
안쪽넓은근(Vastus medialis)				■
넙다리뒤근육(Hamstrings)				
반막모양근(Semimembranosus)	무릎, 정강이뼈		■	
반힘줄모양근(Semitendinosus)	무릎, 정강이뼈		■	
넙다리두갈래근(Biceps femoris)		무릎, 종아리/정강이뼈	■	
기타				
오금근(Popliteus)	정강이뼈			
넙다리빗근(Sartorius)	■			
두덩정강근(Gracilis)	■			
넙다리근막긴장근(Tensor fasciae latae)				
기호설명(Key)	주요한 역할	이차적인 역할		가능한 역할

표 7.3 무릎관절 운동에 관한 근육 제한의 영향

근육	제한의 효과
넙다리네갈래근: 넙다리곧은근	일반적인 문제점은 무릎관절(굽힘)과 엉덩관절(폄)에 동반된 움직임의 제한에 원인이 된다. 골반 기울임에서 잠재적인 증가와 보상적인 허리뼈 폄의 증가. 보행과 보행길이(stride length)에 영향을 미친다. 무릎관절의 굽힘과 함께 넙다리뼈 돌기(femoral condyles) 위의 무릎뼈 압력이 증가되고 무릎뼈 움직임이 변화된다.
넙다리네갈래근: 가쪽넓은근 중간넓은근 안쪽넓은근	일반적이지 않지만, 각각은 무릎관절 굽힘과 함께 무릎뼈에 대한 압력을 증가시킬 수 있고, 무릎넙다리뼈 관절(patellofemoral)의 움직임 변화와 엉덩관절의 위치에 관계없이 무릎관절 굽힘에 제한을 줄 수 있다.
넙다리뒤근육: 넙다리두갈래근 반힘줄모양근 반막모양근	넙다리뒤근육을 구성하고 있는 개개인의 근육들 모두는 이중 관절 근육들로 엉덩관절과 무릎관절을 지나간다. 어떤 제한은 무릎관절의 폄을 제한하고, 엉덩관절의 굽힘과 함께 제한이 더 심해진다. 반힘줄모양근과 반막모양근 각각의 긴장(tightness)은 무릎관절의 돌림을 변화시킬 것이다. 넙다리두갈래근은 직접적으로 종아리뼈 머리와 연결되어 있고 긴장은 정강종아리뼈(tibiofibular)의 움직임에 영향을 미칠 수 있다. 넙다리뒤근육의 닿는 곳이 궁둥뼈 거친면(ischial tuberosity)이란 것은 긴장이 허리골반 움직임(lumbopelvic motion)을 제한할 수 있고, 그 결과로 엉치엉덩 관절(sacroiliac joint) 움직임을 제한 할 수 있다. 이 모든 것들은 보행과 대부분의 스포츠에서 수행에 영향을 줄 것이다.
오금근(Popliteus)	잠재적으로 정강뼈의 가쪽돌림을 제한하거나 또는 허벅지에 대한 다리의 안쪽돌림을 증가시켜, 결과적으로 스크류-홈(screw-home)기전과 전반적인 무릎관절 효율에 영향을 초래한다.
두덩정강근(Gracilis)	긴장(Tightness)은 약간의 굽힘 구축과, 무릎관절의 안쪽 돌림을 유발 할 수 있다. 무릎관절에 대한 두덩정강근에 독립된 제한의 영향에 대한 연구가 적지만 다른 근육과 결합해서 나타나기 쉽다.
넙다리빗근(Sartorius)	독립된 관점에서 영향에 관한 연구가 적다.
넙다리근막긴장근/ 엉덩정강근막띠(ITB)	결합된 엉덩관절과 무릎관절 움직임에 영향을 미치고, 이것은 엉덩정강근막띠 와 지지띠(retinaculum)를 통해서 연결되어 있어 가쪽과 앞쪽 무릎관절 통증을 유발한다. 가쪽 무릎뼈 추적(lateral patella tracking) 문제와 무릎관절 폄의 어려움을 유발 할 수 있다.

스포츠와 일상생활에서 무릎관절근육 제한의 영향

달리기(Running)

발과 발목관절이 어떤 문제의 원인이 아니라고 가정한다면, 넙다리뒤근육의 긴장(tightness)은 무릎관절의 폄을 제한함으로써 보폭(stride length)을 감소시키거나 무릎관절의 폄을 달성하기 위해 요구되는 힘(넙다리네갈래근에 의해)이 증가 될 수 있다.

반막모양근 또는 반힘줄모양근에서 개별적인 긴장(tightness)은 달리는 보행에서 발의 위치와 안정성을 위해서 필수적인 넙다리뼈에 대한 하체의 돌림에 영향을 미칠 것이다.

이러한 모든 영향들은 단거리나 장거리 어떤 것이든지 달리기의 효율을 감소시키고 많은 부상의 시나리오에 원인이 연관되어 진다.

한 연구에서 넙다리뒤근육의 증가된 신장성(extensibility)은 뒤꿈치 닿기(heel strike) 때 정강뼈의 바깥 돌림을 더욱 가능하게 하여 무릎 폄근의 효율성을 증진시키고, 가장 큰 무릎관절 굽힘(peak knee flexion) 시에는 정강뼈 안쪽 돌림의 크기를 감소시킴으로써 전방십자인대를 보호할 것이다.

노젓기(Rowing)

노젓기 선수들에게서 흔한 문제는 무릎뼈의 연골연화증 또는 무릎뼈 연골의 아래 부분이 마모되는 것이다.

노젓기는 완전한 무릎관절 굽힘, 그리고 넙다리네갈래근이 작용하는 강력한 폄을 요구한다.

한 연구에서는 무릎관절을 펴는 동안에 무릎관절의 접촉력(contact force)을 4100N으로 계산하였고, 또는 몸무게의 6배와 동일하다.

넙다리네갈래근에서 어떤 제한은 무릎관절을 완전히 굽히기 위한 노젓기 선수들의 능력에 제한을 줄 수 있고, 넙다리뼈 돌기로 무릎뼈가 아래로 미는 관절 접촉력이 증가할 것이고, 이에 따라 무릎뼈 연골연화증을 악화시키게 될 것이다.

걷기(Walking)

매일 걷기는 문제가 있기 전까지 당연한 일로 받아들여진다.

넙다리네갈래근과 넙다리뒤근육의 제한은 우리가 어떻게 걷는지 그리고 이러한 활동을 우리가 얼마나 쉽게 수행하는지에 영향을 미칠 수 있다.

넙다리네갈래근의 제한은 무릎관절을 굽히는 능력을 감소시켜 올라와 있는 장애물을 넘는 것을 어렵게 하고, 더 많은 엉덩관절의 굽힘을 요구할 수 있다.

제한된 넙다리뒤근육은 보폭을 감소시킬 것이고 빨리 걷는 것을 어렵게 만들 것이고 더 많은 에너지가 요구될 것이다. 근력이 거의 없는 노인에게, 이것은 쇠약시킬 수 있는 요인이 된다.

무릎관절에서 연부조직 이완

대상자의 선 자세를 기록한다. 대상자의 수동적 그리고 능동적인 관절가동범위를 통해서 점검한다; 굽힘. 폄 그리고 돌림. 선 자세에서 반–스쿼트(semi-squat)를 점검하고 대상자의 무릎관절이 두 번째 발가락 위로 구부러지는지 확인한다.

앉은 자세에서 넙다리네갈래근(그리고 넙다리근막긴장근)의 STR

1) 앉아 있는 대상자를 침상 끝에 위치시킨다. 넙다리네갈래근에 압력을 적용하기 위하여 부드러운 주먹과 같은 넓은 고정을 사용한다; 침상 아래로 대상자의 무릎관절을 굽히도록 요구한다. 만약 좋다면, 더 완전한 ROM을 위해서 다리를 펴고 시작한다.

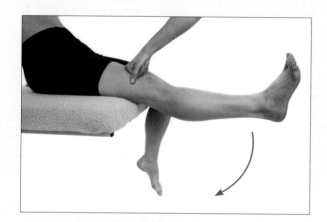 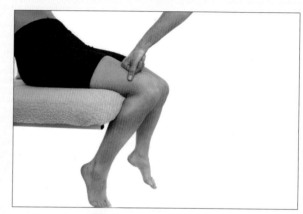

- 침상의 모서리에 무릎관절의 뒤쪽이 찝히지 않는 것을 확인한다.

2) 넙다리곧은근과 가쪽 넓은근의 모서리 사이와 안쪽 넓은근과 넙다리곧은근 사이에 고정을 위해 손가락을 사용한다. 중간넓은근의 모서리에 도달하기 위해서, 부드럽게 넙다리곧은근을 옆으로 이동시킨다. 침상 밑으로 대상자의 무릎관절을 굽히도록 요구한다.

3) 넙다리곧은근에서 더 좋은 신장을 얻기 위해서, 대상자에게 하나의 무릎관절을 끝부분에 걸쳐 놓은 채 침상에 눕도록 요구한다; 대상자의 허리가 과도하게 척추 앞굽음되지 않도록 하기 위해 다른쪽 다리를 들어 발을 침대 위에 놓는다. 넙다리곧은근을 고정하고 대상자에게 무릎관절을 굽히도록 요구한다.

4) 넙다리곧은근의 이는 곳(origin)의 힘줄을 가로질러 부드럽게 고정하기 위해서 손가락들로 보강된 엄지손가락을 사용한다; 대상자에게 무릎관절을 굽히도록 요구한다.

5) 부드러운 주먹과 CTM 고정을 통해 넙다리근막긴장근을 고정하고 대상자에게 침상 아래로 무릎관절을 굽히도록 요구한다.

바로 누운자세에서 넙다리네갈래근의 STR

1) 엉덩관절을 약간 굽힌채로 대상자를 바로 누운 자세로 위치시키고 무릎관절 밑을 받쳐준다. 발목관절을 잡은 채로, 무릎관절을 펴고 무릎뼈로 부터 먼 쪽으로 넙다리네갈래근을 고정시킨다; 무릎관절을 구부린다.

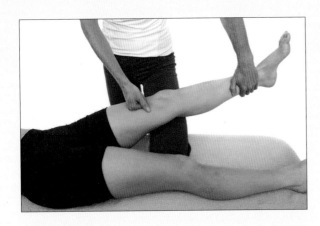 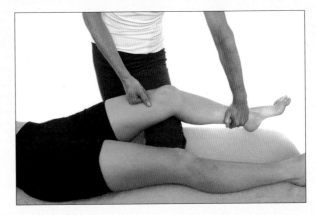

2) 이것은 편 자세에서 고정함으로써 능동적으로 진행될 수 있고, 대상자에게 무릎관절을 굽히도록 요구한다. 무릎뼈로 부터 멀리 고정시키고, 넓은근들의 모서리로 위치시킨다.

3) 넙다리곧은근과 넙다리빗근의 모서리를 구별 하기 위해서 안쪽 넓은근을 부드럽게 잡고 CTM 고정으로 움직인다. 이 것은 민감하기 때문에 안쪽 모서리를 주의하면서 수행한다.

   • 숙련된 고정의 사용은 심지어 무릎관절의 작은 굽힘으로도 상당한 이완을 제공할 것이다.

바로 누운 자세에서 앞쪽 무릎관절 STR

1) 안쪽과 가쪽 무릎뼈 지지띠(retinaculum)에 CTM고정을 수행하기 위해 손가락을 사용한다: 무릎뼈 가까이에 고정하고 가쪽으로 1~2 cm 조직을 당기고, 동일한 압력을 유지한다. 대상자의 무릎관절을 굽히도록 요구한다.

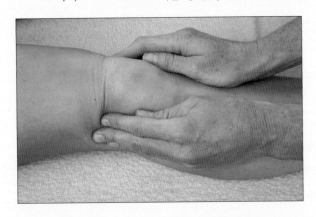 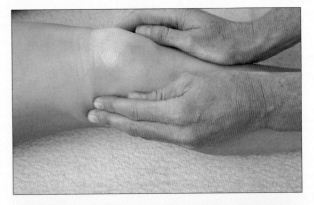

2) 무릎뼈 힘줄(patellar tendon)을 가로질러 CTM 고정을 적용하기 위해서 주먹결절을 사용한다: 약 1cm 정도 가쪽으로 주먹결절을 움직이고 고정한다. 대상자의 무릎관절을 굽히도록 요구한다.

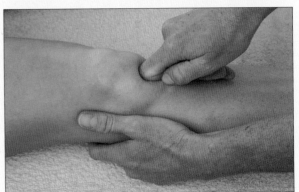

옆으로 누운 자세에서 넙다리네갈래근 STR - 엉덩정강 띠 풀어주기(Freeing up)

1) 가쪽넓은근의 먼쪽에 고정하기 위해 부드러운 주먹을 사용하고 전체적인 근육에 진행하면서 대상자에게 무릎관절을 굽히도록 요구한다.

2) 다른 엄지손가락으로 보강된 엄지손가락을 사용하여 CTM 고정을 적용하고, 천천히 가쪽 넓은근과 엉덩정강 띠의 앞 표면 사이에 모서리를 고정한다; 대상자의 무릎관절을 굽히도록 요구한다. ITB의 뒤쪽에 같은 방법으로 고정하여 적용한다; 가쪽넓은근에 도달하도록 ITB 밑으로 말아 올리고 대상자의 무릎관절을 굽히도록 요구한다.

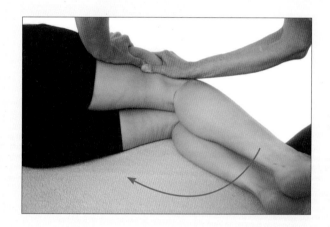 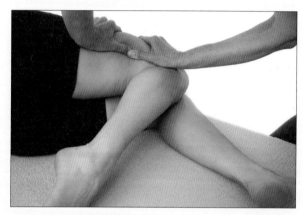

- 이 방법이 가쪽넓은근과 ITB의 모서리를 분리하기 위한 이상적이고 ITB 마찰 증후군의 완화에 도움을 줄 것이다 (또한 가쪽 무릎관절에 대한 ITB를 보라).
- 특히 가쪽 구획(compartment)의 긴장(tightness)과 제한의 이완은 잘못된 무릎뼈 끌림 상태(patellar tracking condition)에 도움이 된다.

체중지지에서 무릎관절의 STR

1) 대상자가 서있는 자세에서, 가쪽과 안쪽 무릎뼈 지지띠에 고정을 위해 손가락을 사용한다; 대상자에게 반-스쿼트에서 적은 각도로 굽히도록 요구한다.
   - 이것은 무릎뼈 끌림 기능 문제 후에 무릎뼈 끌림(tracking)의 재교육을 도와주는 매우 유용한 도구이다.

2) 무릎뼈로부터 위로, 넙다리네갈래근에 고정을 적용하기 위해 보강된 엄지손가락을 사용한다; 대상자에게 반-스쿼드 (semi-squat)로 굽히도록 요구한다.

3) 대상자가 반-스쿼트 자세로 대상자의 무릎관절을 유지하고 서있고, 넙다리두갈래근의 힘줄을 잡고 대상자에게 일어서도록 요구한다; 필요한 만큼 펴는 동안 대상자에게 안쪽 돌림을 안내한다. 거위발 근육군(pes anserinus)을 잡고 대상자에게 일어서도록 요구하고; 필요한 만큼 무릎관절의 가쪽 돌림을 하도록 대상자에게 안내한다.

엎드림 자세에서 넙다리뒤근육의 STR

1) 무릎관절을 굽히고 발목관절을 잡는다; 손바닥 힐(heel) 또는 부드러운 주먹으로 넙다리뒤근육을 고정하고 무릎관절을 편다.

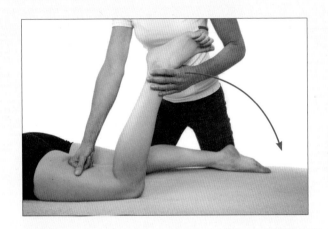 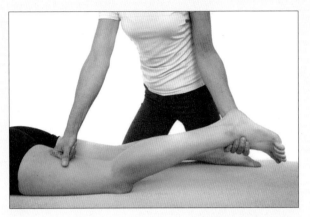

2) 이것은 능동적 STR로 효율적으로 실행될 수 있다. 힘살에 고정한다; 반힘줄모양근과 반막모양근과 넙다리두갈래근의 모서리를 고정하도록 손가락을 사용한다; 대상자의 무릎관절을 펴도록 요구한다. 근육들의 힘살에 주먹결절 또는 보강된 엄지 손가락을 사용한다.

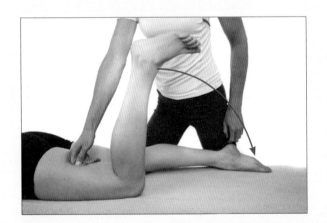 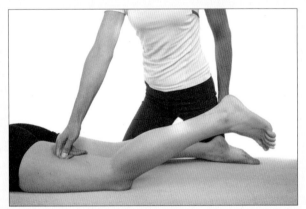

엎드림 자세에서 무릎관절 뒤쪽(넙다리뒤근육 그리고 거위발 근육군)의 STR

1) 무릎관절을 굽힌채로, 넙다리두갈래근의 힘줄을 잡고 천천히 무릎관절을 편다; 추가적인 신장을 위해서 무릎관절의 안쪽 돌림을 추가한다. 종아리뼈 부착의 가까이에서 고정이 실행됨을 확인한다.
2) 무릎관절을 굽힌채로, 두덩정강근과 반힘줄모양근의 힘줄 사이에 위치된 반막모양근에 고정을 시키고, 무릎관절을 편다. 추가적인 운동을 위해서 펴는 동안 무릎관절의 안쪽돌림을 추가한다.

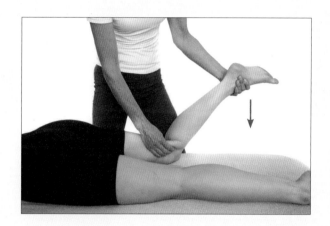 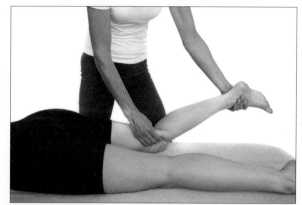

3) 무릎관절을 굽힌채로, 반힘줄모양근에 CTM 고정을 실행하기 위해 손가락을 사용한다; 이 힘줄에 바로 안쪽 부분은 두덩정강근이 있고 다시 안쪽으로는 넙다리빗근이 있다. 각각을 고정한 후에, 무릎관절을 편다. 이러한 세가지 근육들이 거위발 근육군으로 모아지고, 대상자가 무릎관절을 펴면서 쉽게 잡힐 수 있다.

- 능동적 STR은 이러한 힘줄을 구별하고 위치를 찾는 것을 도와줄 것이다; 이러한 능동적인 운동을 하는 동안 만약 대상자가 너무 불편감을 느끼면 다리는 지지하도록 시도한다.

엎드림 자세에서 무릎관절 뒤쪽(두덩정강근. 오금근 그리고 발바닥근) STR

1) 발목관절을 잡고 무릎관절을 반 굽힌다; 부드럽게 넙다리뒤근육 힘줄 사이에 장딴지근 이는 곳(origin)을 잡고 천천히 무릎관절을 편다. 한번에 하나씩 적용한다.

2) 장딴지근과 가지미근이 이완되었는지 확인한다. 무릎관절을 굽히고, 오금근과 장딴지근의 안쪽머리(medial head)의 깊은 곳에 고정을 천천히 확보하기 위해서 손가락을 사용한다. 무릎을 편다.

3) 발목관절을 잡고 무릎관절을 반 굽힌다. 장딴지근의 두 머리 사이에서 발바닥근(plantaris)에 고정을 위해 손가락을 사용한다; 무릎관절을 편다.

- 특히 장단지근의 안쪽 머리 주변으로 무릎관절 뒤쪽은 극도로 예민할 수 있으므로, 특히 천천히 고정을 적용한다.

옆으로 누운자세에서 넙다리뒤근육의 STR

1) 엉덩관절에서 움직임이 발생하지 않음을 확인하기 위해서 다른쪽 허벅지를 고정시키는 동안에 넙다리뒤근육에 고정을 위해 손가락을 사용한다; 대상자의 무릎관절을 펴도록 요구한다.

- 이것은 보통의 넙다리뒤근육 보다 더 긴장된 근육을 위해 유용한 자세이다.

옆으로 누운 자세에서 무릎관절의 STR

1) 가쪽 무릎관절: 베개 받침 위에 반 굽혀진 위쪽 무릎관절을 놓고 아래쪽 엉덩관절은 편 채 무릎관절은 반 굽히고 대상자를 옆으로 누운자세로 위치시킨다. 넙다리두갈래근의 힘줄을 잡고 대상자에게 무릎관절을 펴도록 요구한다; 종아리뼈 머리를 가로지나 이동하기 위해 CTM고정을 사용하고 대상자에게 아주 작게, 무릎관절을 펴도록 요구한다. 보강된 엄지손가락으로, 대상자의 장딴지근의 가쪽 머리를 고정시키고 대상자의 무릎관절을 펴도록 요구한다. ITB의

양쪽을 잡고 대상자의 무릎관절을 굽히도록 요구한다.

2) 안쪽 무릎관절: 위처럼 같은 자세에서, 무릎관절 밑에 안쪽을 촉진한다. 거위발 근육군 힘줄을 부드럽게 잡고 대상자의 무릎관절을 펴도록 요구한다. 정강뼈의 내측 몸통(shaft) 가까운쪽을 가로지나 CTM고정을 사용하고 대상자에게 아주 조금 무릎관절을 펴도록 요구한다. 거위발 근육근으로 합쳐지기 이전에 다른 안쪽 힘줄들 사이 그리고 넓다리빗근(sartorius)쪽으로 안쪽넓은근 안쪽으로 고정한다; 대상자에게 무릎관절을 펴도록 요구한다.

바로 누운자세에서 무릎관절 뒤쪽 STR

1) 무릎관절을 부드럽게 굽혀서 무릎관절 뒤쪽의 안쪽과 가쪽 힘줄 아래를 걸어서 올리기 위해 손가락을 사용한다. 수동적으로 무릎관절이 떨어트려 펴지도록 두거나 또는 손가락으로 아래로 누르면서 대상자에게 천천히 펴도록 요구한다.
   • 고정의 조심스러운 적용은 힘줄을 분리하고 구별하도록 하게 해줄 것이다.

바로 누운자세에서 넙다리뒤근육의 STR

1) 대상자의 엉덩관절을 굽히고 허벅지를 수직으로 위치시키고 대상자의 다리를 치료사의 어깨에 놓는다. 고정을 적용하고 편안한 범위 내에서 천천히 대상자가 무릎관절을 펴도록 요구한다. 넙다리뒤근육이 얼마나 느슨한지 그리고 힘줄 부착부위에 고정이 얼마나 가까운지에 따라서 다양한 고정이 사용될 수 있다.

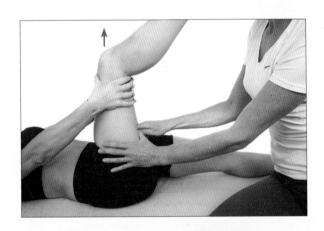
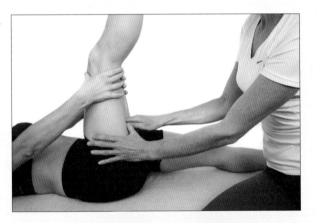
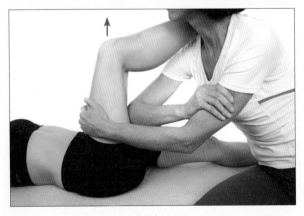
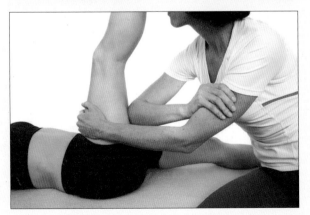

- 이것은 넙다리뒤근육 이완을 위한 최상의 자세이지만 어떠한 운동 이전에 이것이 좋은 자세인지 확인한다. 넙다리뒤근육의 유연성을 고려한다: 만약 범위가 90도보다 상당히 적다면, 옆으로 누운 자세에서 STR이 완전히 무릎관절을 펴지도록 하는데 조금 더 효과적일 수 있다.
- 한 손으로는 고정을 적용하기 위하여 반대편 손으로 허벅지를 지지하고, 무릎관절을 펴는 동안 대상자의 다리를 유지하도록 요구한다.

CHAPTER 08

발목관절(Ankle)과 발(Foot)

발목관절은 다리(lower limb) 부분으로써 무릎관절로 향하는 몇 개의 공통된 근육을 가지며, 엉덩관절에서 부터 무릎관절, 발목관절까지 다리의 연결(chain) 부분으로 임상에서 검사 되어야 한다.

발목관절 복합체는 다음을 포함한다:

- 먼쪽(아래쪽)정강종아리뼈관절(Tibiofibular joint)
- 발목관절(Talocrural joint)
- 목말밑관절(Subtalar (talocalcaneal) joint)

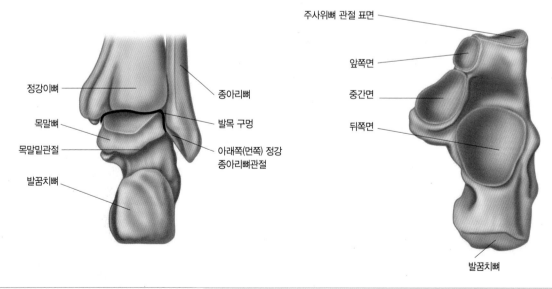

정강이뼈
목말뼈
목말밑관절
발꿈치뼈

종아리뼈
발목 구멍
아래쪽(먼쪽) 정강 종아리뼈관절

주사위뼈 관절 표면
앞쪽면
중간면
뒤쪽면
발꿈치뼈

그림 8.1 발목관절 복합체(뒤쪽면)

발목관절 복합체에서 각 관절의 움직임에 대한 자세한 검사는 이 책 범위와 필요성을 넘는다. 이 단원에서는 외재적 그리고 내재적 발 근육들에 의해 생성되고 조절되는 특수한 본질적인 움직임과 하지와 발을 연결하는 발목관절 복합체에 작용하는 근육들에 의해 만들어지는 큰(gross) 움직임 또는 뼈운동학적(osteokinematic) 움직임에 대하여 개요를 서술할 것이다.

발은 발목관절에 작용 하거나 또한 발의 운동을 조절하는 많은 근육들과 함께, 발목 관절에 복잡하게 연결되어 있다. 그러므로 이 단원에서는 두 개의 구조를 함께 고려하는 것이 합리적이다.

발은 다음과 같은 관절로 이루어져 있다:

■ 발목중앙관절(Transverse tarsal) (Chopart's)
■ 발목발허리관절(Tarsometatarsal)
■ 발허리발가락관절(Metatarsophalangeal; MTP)
■ 빌가락뼈사이관절(Interphalangeal; IP)

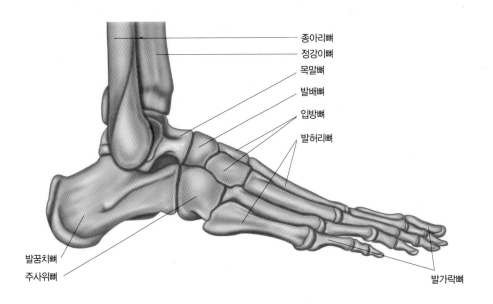

종아리뼈
정강이뼈
목말뼈
발배뼈
입방뼈
발허리뼈
발꿈치뼈
주사위뼈
발가락뼈

그림 8.2 발

발목관절 복합체(Ankle Joint Complex)의 움직임

문헌에서의 발목관절 움직임에 대한 설명은 내용이 다르다. 그러므로 이 글에서는 간단하게 정의할 것이다. 발목관절 운동은 다리에 대한 발의 움직임에 의해 나타나고, 세 축을 중심으로 세 면에서 일어남으로써 세 개의 범주로 나뉜다.

발과 발목관절의 움직임은 실제적으로, 3개로 분류된 모든 움직임이 기본면(cardinal planes)에서 비스듬하게 축을 중심으로 일어나기 때문에 복잡하다.(표 8.1을 보라); 이 움직임을 세-평면(tri-planar) 이라고 말한다.

표 8.1 발목관절 복합체에서 움직임

움직임	기본면(Cardinal plane)	축(Axis)
벌림(Abduction)/모음(Adduction)	수평면(Transverse)	다리를 지나는 세로축(Longitudinal axis)
외번(Eversion)/내번(Inversion)	관상면(Frontal)	두번째 발허리뼈를 지나는 발의 긴 축(Long axis)
발등굽힘(Dorsiflexion)/발바닥굽힘(Plantar flexion)	시상면(Sagittal)	복사뼈를 근접하게 지나는 안쪽-가쪽 축(Medial-lateral axis)

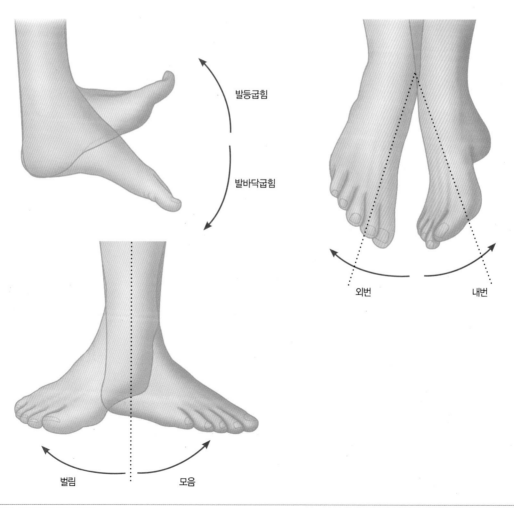

그림 8.3 발목관절 가동범위

열린 사슬 검사(발이 자유롭게 움직임: foot free-moving)에서, 간단한 임상 테스트로 각각의 움직임을 사용하기에 적절하다. 그러나, 닫힌 사슬 운동(예; 걷기)에서 가장 흔하게 결합된 운동(combined movements)의 결과로써 일어나는 움직임을 검사하는 것이 더 적절하다. 이들은 엎침(supination)과 뒤침(pronation)으로 알려진 것들이다.

표 8.2 엎침(Supination)과 뒤침(Pronation)

엎침(Supination)	뒤침(Pronation)
발등굽힘(Dorsiflexion)	발바닥굽힘(Plantar flexion)
외번(Eversion)	내번(Inversion)
모음(Adduction)	벌림(Abduction)

각 관절에서 중요한 운동

발목관절

먼쪽 정강종아리관절(tibiofibular joint)의 운동은 제한된다. 몸쪽에서 먼쪽으로, 안쪽에서 바깥쪽으로 약간의 이동(shift)과 함께 세로축을 중심으로 종아리뼈의 회전이 있는 반면에, 고유의 안정성이 요구되기 때문에 이것은 모두 제한된다. 발목관절(talocrural joint)은 복사뼈 가까이 통과하여 지나는 회전축을 가지고 있는 필수적인 경첩 관절(hinge joint)이다. 그러나 상세한 검사에서 회전축은 발바닥 굽힘(plantar flexion)과 발등굽힘(dorsi flexion)의 정도에 따라서 변하는 것이 나타나고 목말뼈(talus)에서 정강뼈(tibia)의 전이(translation)와 연결 되어 있다.

발꿈치뼈(calcaneus)의 3개의 면(facets)과 목말뼈(talus)의 위쪽 표면의 3개의 반구형 모양(dome)을 가진 목말밑관절(subtalar joint)은 이 책의 범위를 넘어 운동의 복잡한 패턴을 제공한다. 그러나, 이 관절의 주된 역할은 발목관절이 다양한 축을 중심으로 회전 하도록 허락함으로써 울퉁불퉁한 지형에 발이 적응하도록 도와준다.

임상적으로, 이러한 자연적인 움직임을 사용하는 관절가동술(mobilization)이 그들을 사용하지 않는 방법 보다 더 나은 결과를 가진다고 알려졌다. 근육의 제한은 움직임의 가용성을 변화시키고 뼈에 대한 부하를 바꿀 것이다.

발의 관절

발목중앙관절(transverse tarsal joint)은 목말발배뼈관절(talonavicular)과 발꿈치입방뼈관절(calcaneocuboid)을 구성하고 중앙 발(midfoot)을 형성한다. 그것들의 결합된 기능은 외번, 내번에 기여하는 발목관절과 뒤쪽 발(rear foot)의 운동을 증가시킨다.

발목발허리뼈관절(tarsometatarsal)과 발허리뼈사이관절(intermetatarsal)은 보행 동안 안정성을 제공하기 위한 요구에 따라 가동성을 제한되어있다. 발허리발가락관절(metatarsophalangeal)은 주로 굽힘과 폄을 제공하는 시상면에서 주로 움직이지만 약간의 돌림과 전이(translation)를 제공한다.

엄지발가락은 걸을 때 40~90도 사이의 과도한 폄이 요구된다. 이것의 감소는 변화된 보행과 밑에 있는 연부조직의 부하의 결과로 구조적인 변화를 일으킬 수 있다.

근육은 아니지만, 발은 윈들레스(windlass) 기전을 통해 구조적 온전함을 유지하기 위해 엄지발가락과 함께 작용하는 족저근막(plantar fascia)에 의존한다. 이 메카니즘의 실패는 발의 내재근 뿐만 아니라 발바닥근막과 관련된 발에 많은 문제를 일으킨다.

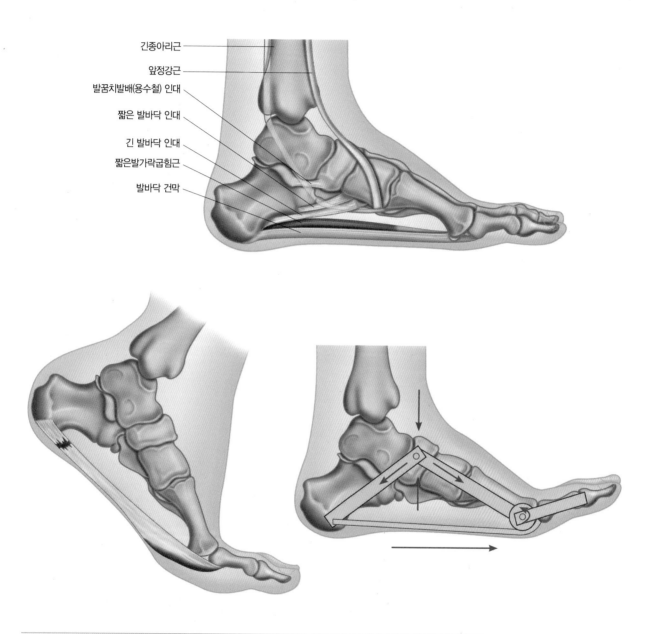

긴종아리근
앞정강근
발꿈치발배(용수철) 인대
짧은 발바닥 인대
긴 발바닥 인대
짧은발가락굽힘근
발바닥 건막

그림 8.4 윈들레스(Windlass) 기전과 발바닥근막(Plantar fascia)

발과 발목관절의 근육

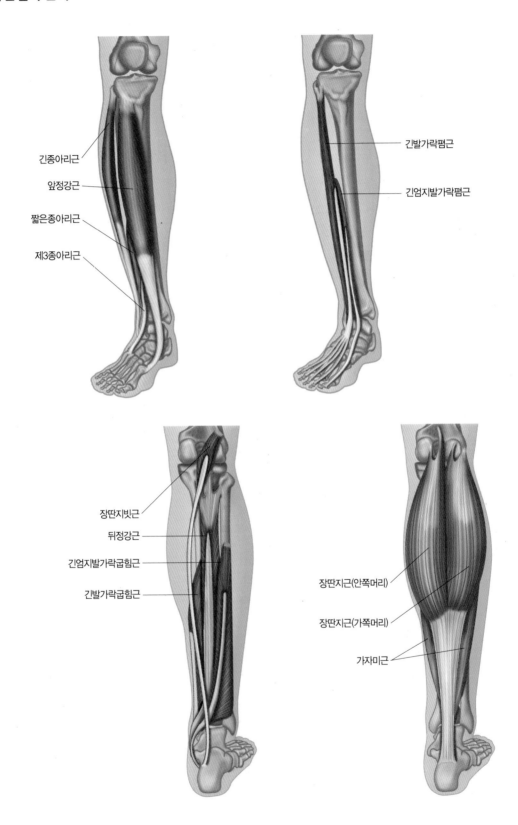

긴종아리근

앞정강근

짧은종아리근

제3종아리근

긴발가락폄근

긴엄지발가락폄근

장딴지빗근

뒤정강근

긴엄지발가락굽힘근

긴발가락굽힘근

장딴지근(안쪽머리)

장딴지근(가쪽머리)

가자미근

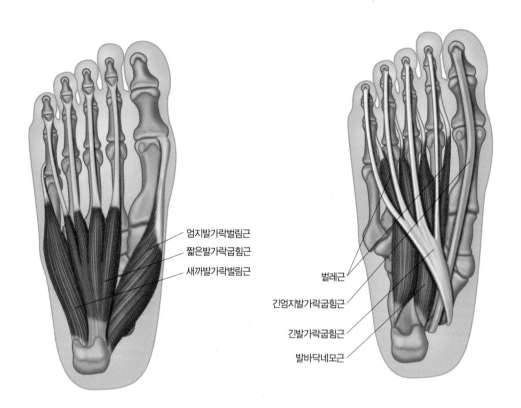

엄지발가락벌림근
짧은발가락굽힘근
새끼발가락벌림근

벌레근

긴엄지발가락굽힘근

긴발가락굽힘근

발바닥네모근

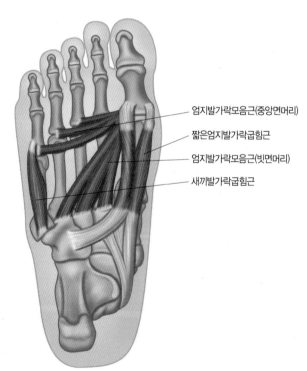

엄지발가락모음근(중앙면머리)

짧은엄지발가락굽힘근

엄지발가락모음근(빗면머리)

새끼발가락굽힘근

그림 8.5　발과 발목관절의 운동과 연관된 근육

표 8.3 발과 발목관절에서 근육 운동

근육	발목관절을 통한 발의 운동					
	발바닥굽힘	발등굽힘	벌림	모음	외번	내번
장딴지근(Gastrocnemius)	◐					○
가자미근(Soleus)	●					목말밑관절
뒤정강근(Tibialis posterior)	●					목말밑관절
긴발가락굽힘근 (Flexor digitorum longus)	◐					목말밑관절
긴엄지발가락굽힘근 (Flexor halluces longus)	◐			◐		●
긴종아리근(Peroneus longus)			◐		●	
장딴지빗근(Plantaris)	●					목말밑관절
쌃은종아리근(Peroneus brevis)					●	
앞정강근(Tibialis anterior)		●				○
긴엄지발가락폄근 (Extensor halluces longus)		●		◐		○
긴발가락폄근 (Extensor digitorum longus)		●			◐	
제3종아리근(Peroneus tertius)		●				

근육	발가락의 운동			
	굽힘	폄	벌림	모음
짧은발가락폄근(Extensor digitorum brevis) (1-4번째 발가락)		●		
긴발가락굽힘근(Flexor digitorum longus) (2-5번째 발가락)	●			
긴엄지발가락굽힘근 (Flexor hallucis longus) (엄지발가락)	●			
새끼발가락벌림근 (Abductor digiti mlnlml) (5번째 발가락)			●	
발바닥네모근 (Quadratus Plantaris) (2-5번째 발가락)	●			
벌레근(Lumbricals) (2-5번째 발가락)	●			

기호설명(Key)	주요 역할(Primary role)	이차적 역할(Secondary role)	가능한 역할

표 8.4 발과 발목의 운동에서 근육 제한의 효과

근육	제한/긴장(Tightness)의 효과
장딴지근	이중관절(two-joint) 근육이기 때문에, 무릎관절과 발목관절의 위치에 연관되어 영향이 결정될 것이다. 관절가동범위는 무릎관절이 굽혀지면 증가된다. 서있을 때, 긴장은 발바닥이 닿는 것을 방해할 것이고 발가락 걷기(toe walking)에 기여한다. 보행시 유각기와 입각기 동안에 영향을 줄 것이다.
아킬레스 힘줄(Achilles tendon)	아킬레스 힘줄은 보행을 위한 중요한 연부 조직 구조이고 신체에서 가장 큰 힘줄이다. 이곳의 어떠한 긴장은 장딴지근으로부터 힘의 전달을 감소시킬 것이고 장력(tensile strength)이 감소됨을 통해 부상을 당하기 쉽다. 이것은 또한 발꿈치뼈(calcaneus)를 당겨, 뒤발(hindfoot)의 내번(발목관절 안쪽 굽힘[varus])을 만들 수 있다.
가자미근	보행에서 발 위를 넘어가는 정상 정강뼈의 움직임을 방해하고 서있을 때 젖힌 무릎(genu recuvatum)이나 뒤로 기대는 자세(postural lean-back)를 유발할 수 있다.
뒤정강근	잠재적인 안쪽말발(equinovarus)변형과 발의 내번과 벌림의 결과를 초래한다.
장딴지빗근(Plantaris)	비록 이것은 뒤정강근의 긴장에 의해 영향을 받을 수 있고 발바닥 굽힘 변형을 더해 줄 수 있지만, 효과에 대해 구체적으로 밝혀진 것은 없다.
긴종아리근(Peroneus longus)	목말밑관절에서 내번에 영향을 줄 수 있고 서 있을 때 엎침이 관찰될 잠재성과 첫번째 열(first ray)의 발바닥 굽힘을 만들 수 있다.
짧은종아리근(Peroneus brevis)	개별적으로, 매우 적은 잠재적인 영향을 미치지만 뒤발의 바깥굽힘(valgus)에 영향을 미칠 수 있다.
앞정강근(Tibialis anterior)	안쪽 세로 궁(longitudinal arch)에 있는 근육을 들어올리기 때문에 거위발(pes cavus) 발모양(높은아치)를 만든다.
긴엄지발가락폄근	IP관절의 굽힘과 엄지발가락의 MTP관절에서 폄을 유발하여, 까마귀발가락(claw toe)변형과 보행시 MTP관절에 비정상적인 스트레스를 초래한다.
긴발가락폄근	IP관절의 굽힘과 MTP관절에서 폄을 만들어, 까마귀 발가락(claw toes)의 변형 발생, 통증과 정상적인 기능 제한을 유발한다.
제3종아리근(Peroneus tertius)	유의한 효과가 없는 것 같다.
긴발가락굽힘근(2~5번째 발가락)	발가락들의 폄 감소와 까마귀 발가락 변형 발생에 한 요소이다.
긴엄지발가락굽힘근(엄지발가락)	특히 발목관절을 발등 굽힘했을 때, 엄지발가락의 폄이 감소된다. 엄지발가락에서 까마귀발가락 변형에 기여할 수 있다.
새끼발가락벌림근(5번째 발가락) 발바닥네모근(Quadratus plantaris) (2~5번째 발가락) 벌레근(2~5번째 발가락) 짧은발가락폄근(1~4번째 발가락)	발의 내재근의 긴장의 영향에 대한 연구는 적다. 하지만, 보행시 발의 안정성에 기여하는 그들의 역할은 어떤 국소적인 긴장이 발의 기능에 영향을 미칠 수 있음을 의미한다.

스포츠와 일상 생활에서의 발목관절근육 제한 효과

럭비

프로 럭비선수들의 연구들은 발허리뼈들의 스트레스 골절과 아킬레스 힘줄 구축과 발목관절, 목말밑관절 하나 혹은 둘 다의 발등 굽힘 제한 사이의 상관관계가 있다는 것을 발견했다.

또한 장딴지근과 가자미근의 긴장(tightness) 증가와 중간발과/또는 뒤발의 과사용 증상이 연관되었다는 연구들이 있다.

배구

한 연구에서 무릎뼈 힘줄병증(patellar tendinopathy)을 가진 선수들이 정상 힘줄을 가진 선수에 비해 발목관절을 발등굽힘 범위가 유의하게 낮다는 것을 발견했고, 발목관절 발등굽힘의 범위가 45도 보다 낮으면 정상 힘줄과 비교하여 1.8~2.8배 무릎뼈 힘줄병증의 위험이 더 증가한다는 것을 발견했다.

배구에서 긴종아리근에서 자주 나타나는 손상인, 발목관절 내번 삠(sprain)은 또한 흔하다. 만약 반흔조직(scar tissue)이 발생하게 되면, 착지(landing)시 발목안정성을 위해 중요한 정상적인 기능을 잃게 될 것이다. 발생된 모든 불안정성은 더욱 더 반복손상을 유발하기 쉽다.

일반적인 발의 문제점들

많은 수의 발목관절과 내재 발바닥 근육의 긴장(tightness)은 정상적으로 기능하는 능력에 영향을 주는 까마귀 발가락(claw toes), 거위발(cavus foot)과 엎침(pronation)을 포함하여 발모양의 변화를 야기시킬 것이다.

이것은 발허리뼈 머리 위에 압력 증가와, 딱딱한 피부로 발전 그리고 신발 압력으로부터 오는 통증을 가져올 수 있다.

발목관절의 연부조직 이완

실험자의 서있는 자세를 기록한다. 그의 능동적, 수동적인 관절 가동 범위를 측정한다.

엎드린 자세에서 표면부 뒤쪽 구획(장딴지근, 가자미근, 장딴지 빗근)에 STR

1) 실험자는 침상의 끝에서 발목관절을 떨어 뜨리고 엎드린 자세를 취한다. 가자미근, 힘살 사이를 고정시키기 위해 손가락을 사용한다; 실험자의 무릎을 이용하여 대상자의 발목관절을 부드럽게 굽힌다.

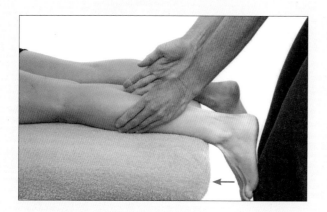 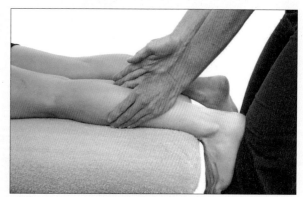

손가락을 사용해서 힘살 사이 안으로 고정시키고, 발목관절을 굽히도록 요구한다.

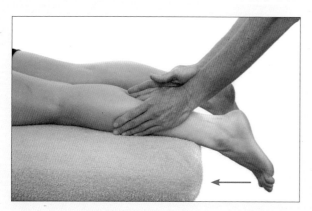 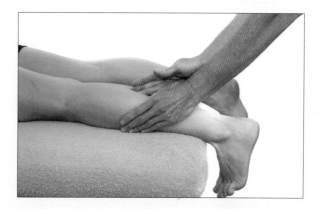

근육의 힘살을 고정시키고, 가자미근의 모든 제한들을 없애기 위해, 근육의 가쪽과 안쪽 모서리 아래로 만다; 대상자에게 발목관절을 굽히도록 요구한다. 조심스럽게, 아킬레스의 힘줄 옆조직을 집어 올린다. 대상자의 발목관절을 굽히도록 요구한다.

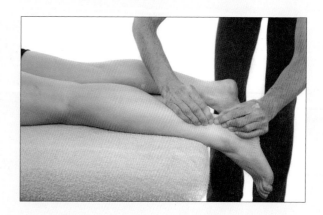

2) 무릎관절을 90도 구부린 상태에서, 한 손으로 대상자의 발꿈치를 컵처럼 모아 쥔다. 가자미근, 장딴지근 심부를 고정시키기 위해 손가락을 사용한다; 가볍게 대상자의 발목관절을 굽힌다. 장딴지근에서 니오는 가자미근 안쪽, 가쪽 부분에 위치시키고, 발목관절을 굽힌다.

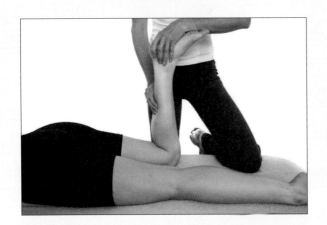
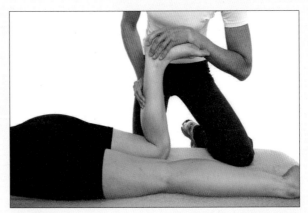

3) 대상자를 무릎관절을 굽힌 채로 엎드리게 하고, 당신의 앞쪽 아래 다리 밑으로 한쪽 무릎관절을 위치시킨다. 고정 시키고 대상자에게 발목관절을 굽히도록 요구한다. 가자미 근의 먼 쪽 부위를 잡고; 힘줄 옆 조직을 집어 올리기 위해 손가락을 사용한다. 대상자에게 발목관절을 굽히도록 요구한다.

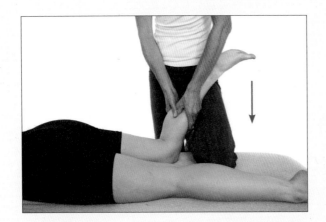
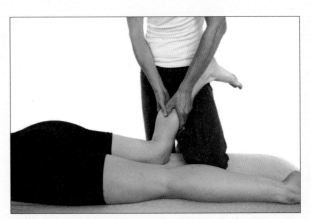

• 근육과 근막의 완전한 이완은 아킬레스 힘줄질환의 치유에 기여할 것이다. 제한을 없애는 것은 효과적인 근력강화를 가능하게 해준다.

엎드린 자세에서 안쪽복사뼈와 바깥쪽복사뼈 주위의 STR

1) 바깥쪽 복사뼈로부터 멀어지게 CTM고정을 적용하기 위해 주먹결절을 사용한다; 대상자에게 그의 발목을 발등 굽힘 하라고 요구한다.

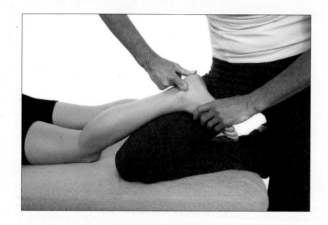 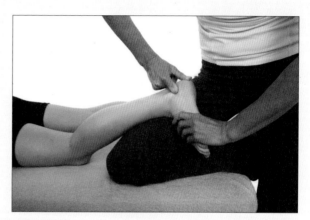

2) 안쪽 복사뼈로부터 멀어지게 CTM고정을 적용하기 위해 주먹결절을 사용한다; 대상자에게 그의발목을 발등 굽힘하라고 요구한다.
   • 각 복사뼈에서 멀어지게, 다른 방향으로 각각 2번 또는 3번의 고정을 시도한다.

옆으로 누운 자세에서 표면의 뒤쪽 구획의 STR

1) 가자미근과 장딴지근 사이에 밀어 넣기 위해 손가락을 사용한다; 대상자에게 발등굽힘을 요구한다. 이는 내측, 외측 모서리에서 행해질 수 있다.

체중지지 상태에서 표면 구획의 STR

1) 대상자는 한 다리를 앞으로 하고 서서 단단한 지면 위에 기울이고, 종아리 근육 가장 근접하게 고정한다. 장딴지근의 신장을 위해 앞으로 런지(lunge) 자세를 취하게 하고 가마지근의 신장을 위해 두 무릎관절을 굽히도록 요구한다.
2) 대상자가 서있는 동안, 발바닥 굽힘을 하고 발꿈치 고정을 시도한다. 무릎 관절을 펴거나 또는 구부리고 발꿈치를 지면으로 떨어뜨리라고 요구한다.

엎드린 자세에서 깊은 뒤쪽 구획(뒤정강근, 긴발가락굽힘근, 긴엄지발가락 굽힘근)의 STR

1) 표면 구획이 이완되었는지 확인한다. 대상자는 무릎관절을 구부리고 한쪽 무릎관절을 대상자의 앞쪽 아래 다리 밑으로 놓는다. 보강된 엄지 손가락 또는 주먹 결절을 이용해서 얕은 구획 심부를 고정시키고 발목관절을 굽히도록 요구한다.
2) 대상자의 무릎관절을 굽히고, 아래 다리를 수직으로 지지한 자세로 한다. 손가락을 이용해서 얕은 구획 심부를 집는다; 발목관절을 굽히도록 요구한다.

옆으로 누운 상태에서 깊은 뒤쪽 구획(뒤정강근, 긴발가락굽힘근, 긴엄지발가락 굽힘근)의 STR

1) 아래 다리를 드러내기 위해서 잇다리(무릎관절 밑 부분에 지지대를 놓는다)의 엉덩관절과 무릎관절을 구부린다. 아래쪽 중간 정강뼈의 1/3로부터 멀어지게 고정하기 위하여 주먹 결절을 사용하고 대상자에게 발목관절을 발등 굽힘 하도록 요구한다.

   • 이 부위에 매우 민감한 울혈이 있을 수도 있기 때문에, 주의해서 고정하는 것이 필요하다. 골막이나 주변 조직에서의 모든 급성 부위의 직접적인 접촉을 피해야 한다.

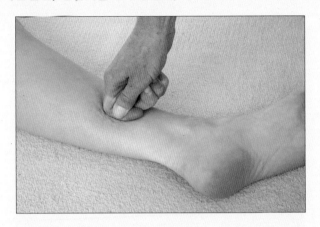

2) 안쪽 복사뼈로부터 멀어지게 고정시키고 먼 쪽 힘살과 힘줄을 치료하기 위해서 뒤쪽으로 움직인다; 발목관절을 발등 굽힘한다.

누운 자세에서 가쪽 구획(긴종아리근과 짧은 종아리근)의 STR

1) 침상 반대 쪽에 선다. 종아리뼈 머리에서부터 시작해서 긴 종아리근에 손가락을 건다; 대상자가 발등굽힘 또는 발목관절을 내번하도록 요구한다. 긴종아리근을 위해 종아리뼈 바깥쪽 면 위쪽 2/3 지점과 짧은종아리근을 위해 아래쪽 1/3 지점을 고정한다; 발목관절을 발등 굽힘 하도록 요구한다.

2) 바깥쪽 복사뼈 주변을 손가락으로 말고(curl) 발목관절을 발등굽힘 하도록 요구한다.

옆으로 누운 자세에서 가쪽 구획(긴 종아리근과 짧은 종아리근)의 STR

1) 종아리뼈 머리부터 멀어지게 CTM 고정을 적용하기 위해 보강된 엄지 손가락을 사용하고; 발목관절의 발등굽힘을 하게 요구한다. 종아리뼈의 바깥쪽 표면을 가로질러 고정을 적용하고; 발목관절을 발등굽힘 하도록 대상자에게 요구한다.

2) 긴 종아리근과 가자미근 사이 모서리를 분리하기 위해 손가락을 사용하고; 발목관절을 발등굽힘 하도록 대상자에게 요구한다. 긴 종아리 근육과 긴 발가락 폄근 사이 안의, 종아리뼈의 가쪽 모서리로부터 멀리 종아리뼈의 앞쪽 표면 쪽으로 CTM 고정을 적용하기 위해 손가락을 사용한다; 발목관절을 발등굽힘 하도록 대상자에게 요구한다.

   • 최대의 이완을 위해 종아리뼈 머리 주변 부위에 집중한다.

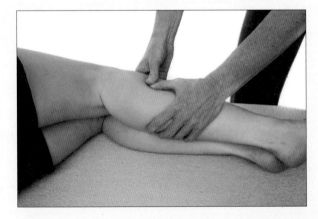

누운 자세에서 앞쪽 구획의(앞정강근, 긴 발가락 폄근, 제3 종아리근, 존재할때, 그리고 긴 엄지 폄근) STR

1) 앞정강근을 고정을 위해 주먹결절을 사용한다; 대상자에게 발목관절을 발바닥굽힘을 하게 요구한다. 더 큰 범위를 위해 고정되기 전에 발목관절의 발등 굽힘 하게한다.

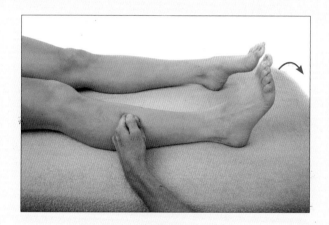 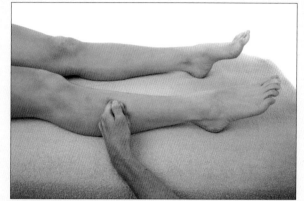

2) 부드럽게 닿는 곳의 힘줄을 잡기 위해 손가락을 사용하고 발목관절을 발바닥 굽힘 한다.
   - 근막이 특히 치밀하기 때문에 CTM고정은 앞정강근에서 이상적이다.
   - 정강뼈로부터 멀리 그리고 안쪽 고정에 의해 가쪽 고정(lateral lock)을 시도한다.

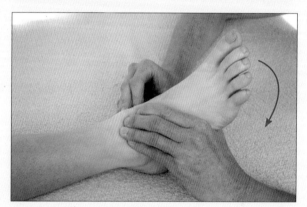

3) 침상의 옆쪽에서부터 손가락이나 보강된 엄지 손가락을 사용하여 앞정강근과 긴종아리근 사이에 안쪽에, 긴 엄지발가락폄근을 고정시킨다. 대상자에게 발을 발바닥 굽힘 하게 요구한다. 근육을 따라서 지지띠(retinaculum)까지 내려가고 힘줄을 고정하고 대상자에게 발목관절을 발바닥 굽힘 하게 요구한다.

4) 발등의 맨 위의 힘줄을 고정시키기 위해 손가락을 사용하고 대상자에게 발목관절을 발바닥 굽힘 하도록 요구한다. 긴발가락폄근과 앞정강근 사이에 있는 긴엄지발가락근을 고정시킨다; 엄지발가락 표면에 있는 힘줄을 고정시킨다. 발목관절을 발바닥 굽힘 한다.

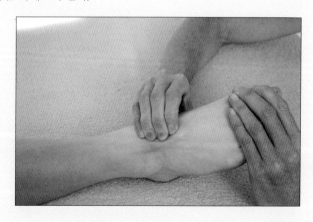

발목관절의 삠(Sprains)과 염좌(Strains)

어떤 형태의 발목관절 삠(sprain) 후에, 모든 아래 다리 근육 구획(compartment)과 발은 체계적으로 다루어질 필요가 있다. 부드러운 STR은 모든 염증 부위를 피해서, 재활의 아-급성 단계(sub-acute stage)에 적용될 수 있다. 초기 치료는 반흔(scar)이 되는 것과 두꺼워 지는 것(thickening) 그리고 근육 비대칭을 최소화 할 것이다. 만성단계에서 더욱 더 강력한 STR이 필요할 수 있다. STR은 복숭아 뼈에서 멀리 떨어져서 지지띠를 가로질러 근육 모서리에 실행되어야만 한다. 능동적인 STR의 능숙한 사용은 정상적인 움직임을 회복하고 대상자에게 적절한 고유성감각 재교육을 제공하는데 도움을 준다.

긴 종아리근과 짧은 종아리근의 바깥 구획(lateral compartment)에 특히 주의해야 한다. 이러한 근육들은 안쪽 돌림을 막는 역할을 하므로 발목관절의 안쪽 돌림 삠(inversion sprains)을 보호한다.

발의 연부조직 이완(Soft tissue release)

발에 있는 다른 근육의 층들은 신체에 안정성을 제공하고 또한 미세한 운동(fine movement)과 추진(propulsion)을 위한 플라이오메트릭적인 힘(plyometric strength)을 제공한다. 대상자의 자연스러운 서있는 자세와 발의 아치 모양을 기록한다.

내번과 외번을 분리하여 수동적, 능동적 관절가동범위를 측정하고 발목관절의 발등굽힘과 발목관절굽힘도 함께 측정한다. 발가락의 굽힘과 폄도 측정한다.

누운 자세에서 발 외번근(Evertors)(긴 종아리근과 짧은 종아리근)의 STR

1) 다른쪽 엄지로 보강된 엄지 손가락을 사용해서 침상의 같은 쪽으로 바깥 종아리의 아래쪽 1/3에 있는 긴 종아리 근을 고정한다. 대상자에게 발을 내번(invert) 하도록 요구한다.

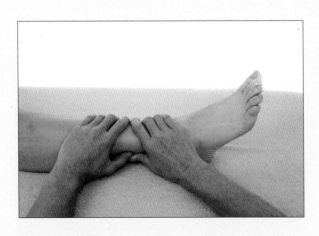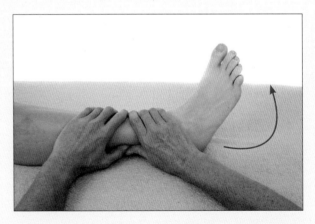

종아리뼈 바깥쪽 표면의 상부 2/3지점에 긴 종아리근 힘살을 고정한다. 가쪽 복숭아뼈 뒤를 말아서(curl) 힘줄을 잡기 위해 CTM고정을 사용한다(긴근 힘줄(longus tendon)은 짧은근 힘줄(brevis tendon) 약간 뒤에 있다). 대상자에게 발을 내번하도록 요구한다. 다른 방법으로, 침상의 반대쪽에 선다. 긴종아리근과 짧은종아리근에 손가락을 걸고; 대상자에게 발을 내번하도록 요구한다.
- 첫 번째 발허리뼈 기저부와 안쪽 쐐기뼈(cuneiform) 힘줄 부착부위에서 CTM고정을 수행한다.
- 앞정강근 부착점과 바깥쪽 아치의 유지하는데 종아리근과 앞정강근 근육의 균형을 고려한다. 그것들은 발의 등자뼈(stirrup)를 형성하기 위해 만난다.

옆으로 누운 자세에서 발 외번근(Evertor)(긴 종아리근과 짧은 종아리근)의 STR

1) 종아리뼈 머리부터 떨어져 CTM 고정을 적용하기 위하여 보강된 엄지 손가락을 이용 한다; 대상자에게 발을 내번하도록 요구한다. 긴종아리근을 위해 종아리뼈 바깥쪽 표면의 상부 2/3, 그리고 짧은종아리근을 위해 아래 1/3에 적용한다. 대상자에게 발을 내번하도록 요구한다.
- 바깥쪽 복숭아뼈에서부터 멀리 CTM 고정을 적용한다.

누운 자세에서 발 내번근(Invertors)(앞정강근, 긴엄지발가락폄근, 뒤정강근, 긴발가락굽힘근과 긴엄지발가락 굽힘근)의 STR

1) 손가락을 사용해서 앞정강근이 닿는 곳의 힘줄을 가볍게 잡는다; 대상자에게 발을 외번하도록 요구한다. 종아리뼈 중간 부위로부터 멀리 긴발바닥폄근과 앞정강근 사이의 긴 엄지근육이 있는 쪽으로 고정한다.

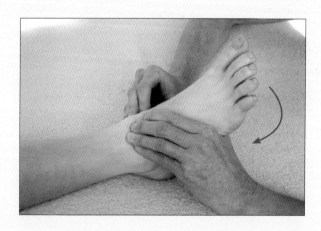

2) 깊은 뒤쪽 구획(deep posterior compartment)의 힘줄들이 있는 안쪽 복숭이뼈 아래로 밀어 넣기 위해 보강된 엄지 손가락을 사용한다. 뒤정강근은 가장 앞쪽 표면에 있고, 발가락 굽힘근은 이것의 뒤쪽에 있고 긴엄지굽힘근은 이것 뒤쪽에 있고, 아킬레스 깊숙하게 있다. 대상자에게 발을 외번하도록 요구한다.

누운 자세에서 발바닥근막(Plantar fascia)에 대한 STR

1) 한 손으로 발의 끝부분을 잡는다. CTM 고정으로 압력을 적용하기 위해 느슨한 주먹을 사용한다; 대상자에게 발가락을 펴라고 요구한다. 발가락부터 시작해서 이러한 넓은 표면 고정을 둘 또 세 번 수행하고 발꿈치뼈 쪽으로 진행한다.

2) 근막이 부드러워 지면, 더 깊게 진전하고, 주먹결절을 이용하여 더 분명하게 고정한다.

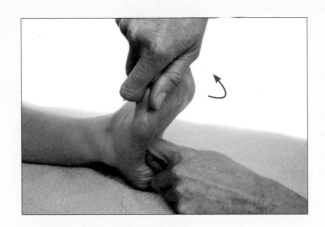 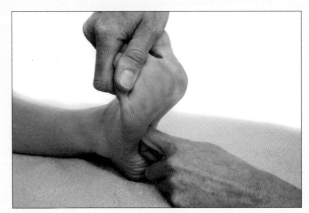

- 발바닥근막염(plantar fasciitis)의 경우에는, 실제적인 충격이나 아픈 자극 없이, 안쪽 발꿈치 염증부위에 매우 가까이 적용될 수 있는 특수 고정을 적용할 수 있다.
- 발꿈치로부터 멀리 다른 지점에서 고정을 적용하기 위해 CTM 고정을 사용한다; 여기서 부터 근막의 4개 층이 발생한다.

누운 자세에서 발가락 폄근(긴발가락폄근, 짧은발가락폄근 그리고 긴엄지발가락폄근) 에 대한 STR

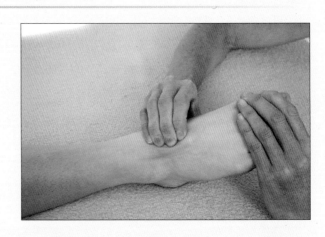

1) 침상의 끝 부분에 앉는다. 4개의 바깥쪽 발가락의 등쪽 표면에 위치하는 긴발가락폄근의 힘줄 사이를 잡기 위하여 손가락을 사용한다. 대상자에게 발가락을 굽히도록 요구한다. 부드럽게 힘줄 쪽으로 고정하고 대상자에게 발가락을 굽히도록 요구한다.

2) 종아리뼈의 앞쪽 표면으로부터 멀리, 긴발가락폄근의 힘줄을 고정한다; 대상자에게 발목관절을 발바닥 쪽으로 굽히라고 요구한다.

3) 긴엄지발가락폄근을 고정하고 대상자에게 엄지발가락을 굽히라고 요구한다. 부드럽게 힘줄을 잡고 대상자에게 발가락을 굽히라고 요구한다.

4) 긴발가락폄근 아래 위치한 짧은발가락폄근에 압력을 적용하기 위해 손가락을 사용한다. 수동적으로 가운데 3개의 발가락을 굽히거나 또는 대상자에게 발가락을 굽히라고 요구한다.
   - 표면적인 CTM 고정을 사용하여 폄근 힘줄과 지지띠(retinaculum)사이의 유착을 분리하기 위해 시도한다. 발가락의 굽힘과 발목관절 발바닥 굽힘 자세에서 고정한다.

누운자세에서 발가락 굽힘근(긴 발가락 굽힘근, 짧은 발가락 굽힘근, 발바닥 네모근(flexor digitorum accessorius) 긴 엄지 굽힘근, 짧은 엄지 굽힘근, 짧은 새끼발가락 굽힘근, 벌레모양근, 뼈사이근)에 대한 STR

1) 아킬레스 힘줄 안쪽 깊게 위치한, 긴엄지발가락굽힘근의 힘줄을 찾기 위해 보강된 엄지손가락을 사용한다; 대상자에게 엄지발가락을 피라고 요구한다. 필요하다면 발목관절을 발등 굽힘도 결합한다.

  - 긴엄지발가락굽힘근은 안쪽의 아치(medial arch)를 유지하는데 중요한 역할을 한다.

2) 짧은발가락굽힘근을 고정하기 위해 주먹결절을 사용한다; 두 번째부터 다섯 번째 발가락까지 고정을 적용하고 발꿈치의 안쪽 결절(medial tubercle)을 향해 움직인다. 대상자에게 발가락을 펴라고 요구한다.

3) 몸쪽 발가락의 기저부에 CTM 고정을 적용하기 위해 보강된 엄지손가락을 사용한다; 대상자에게 발가락을 펴라고 요구한다.

누운자세에서 발가락 벌림근(엄지 벌림근, 배측 바닥뼈 사이근과 새끼벌림근)에 대한 STR

1) 엄지발가락을 잡아 가볍게 벌린다. 발의 안쪽 발바닥 표면 위 엄지 벌림근에 CTM고정을 적용하기 위해 주먹결절을 사용한다; 엄지 발가락을 부드럽게 모으고 편다.

2) 새끼발가락을 잡아서 가볍게 벌린다. 발의 바깥쪽 발바닥 표면 위에 있는 새끼벌림근을 CTM고정 을 위해 주먹결절을 사용한다. 부드럽게 다섯번째 발가락을 모으고 편다.

  - 발의 발바닥 표면을 다룰 수 있도록 다양한 위치와 깊이로 다양한 고정을 시도한다. 발가락 관절에 가깝게 고정을 적용한다.

누운 자세에서 발가락의 모음근(엄지모음근과 발바닥측 뼈 사이근)에 대한 STR

1) 엄지발가락(가까운 쪽 발가락뼈)의 바깥쪽 기저부(lateral base)에 엄지손가락으로 가볍게 고정한다. 부드럽게 엄지발가락을 벌린다.

2) 긴종아리근의 힘줄 집(tendon sheath)으로 CTM고정을 적용하기 위하여 주먹결절을 사용한다; 대상자에게 발가락을 벌리도록 요구한다.

  - 엄지 모음근은 종종 억제되어 있고, 먼쪽 수평 아치(distal transverse arch)의 유지를 위해서 강화가 필요하다. 엄지 모음근에 대한 최소의 STR은 요구되는 근력강화를 촉진 할 것이다.

아치(Arches)

아치의 유지는 발의 연부조직의 균형과 힘에 의존한다.

네개 층의 내재 발 근육(intrinsic foot muscles)과 하지 아래 다리 근육의 길이와 근력을 고려해야 한다.

아래다리, 발 근육과 발바닥 근막 모두를 체계적으로 치료하는 것은 재교육 프로그램을 기능적으로 높여 줄 것이다.

사례 연구 1 - 팔꿈치관절 통증(Elbow Pain)

건강한 59세 남성이 양쪽 팔꿈치관절 통증을 경험하고 있었다. 그의 주된 취미는 높은 수준으로 탁구 경기를 하는 것과, 내셔널 트러스트(National Trust)를 위해 삼림지대를 개발하는 것을 돕는 것이다.

팔꿈치 관절 주변과 손으로 내려오는 통증은 삼림지대 개발 작업 동안에 물건을 들고 난 후와 아침에 더 심해졌다. 이것은 탁구 경기에 지장을 주었다.

첫번째 느낌에서, 전체 상체(upper body)에서 운동이 제한되었다: 특히 상반운동반복장애 검사(dysdiadochokinesia test)를 수행하는 동안에 왼쪽과 오른쪽 어깨뼈가 내밀어 졌고(protracted), 팔꿈치관절 폄이 감소되었고, 손의 엎침(pronation)과 뒤침(supination)이 제한되었다.

STR

상체는 치료가 필요했다. 위팔두갈래근(biceps), 위팔세갈래근(triceps), 큰가슴근과 작은가슴근, 앞쪽 어깨세모근(anterior deltoid), 위팔근(brachialis), 원엎침근(pronator teres) 그리고 손목 굽힘근(wrist flexor)을 포함한 주된 근육들이 치료되었다.

환자에게 원엎침근과 팔꿈치 굽힘근을 위한 STR 자가-치료 프로그램과 가슴근육을 위해서는 기본적인 신장이 제공되었다.

결과(Outcome)

두번의 치료 후에 양쪽 팔꿈치관절에 있는 통증은 사라졌고, 탁구경기는 더 이상 문제가 되지 않았다.

이론적 근거(Rationale)

삼림작업에서의 잡기와 들기의 결합, 탁구에서의 몸을 가로 지나는 팔의 자세, 그러나 탁구에서 특별히 제한된 운동이 상지와 견갑대(shoulder girdle)의 대부분에 제한을 야기했다. 이것은 STR이 단순히 하나의 근육이 아닌 관련된 운동의 사슬(kinetic chain)에 적용되었을 때의 좋은 예시이다.

사례 연구 2 - 견갑대(Shoulder Girdle)

정신이 명료하고 활동적이고 특별한 병력이 없는 89세 여성이, 일반개원의사(GP)에 의해 굳은 어깨(frozen shoulder)라고 진단을 받은, 아프고 제한된 어깨관절로 병원을 방문했다. 그녀의 가장 큰 걱정은 그녀가 머리를 빗지 못하고, 다리미질 하기가 어려운 것이었다-그녀는 그녀의 남편이 그것을 하는 것을 신뢰하지 못했다.

검사를 통해 어떠한 중요한 뼈 또는 연부조직의 충돌과 근육 파열(muscle tears)도 없는 것으로 판명되었다. 팔의 능동적 가쪽 벌림은 대략 90도에서 제한되었고, 수동적으로는 약간 더 벌어졌다.

STR

치료된 주된 근육은 어깨밑근(subscapularis), 앞톱니근 그리고 등세모근이었다. 작은가슴근은 거의 치료가 필요없었다. 그녀에게 어깨를 위한 간단한 신장을 제공받았다.

 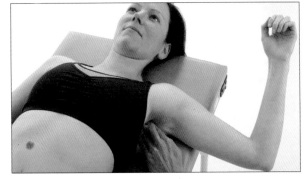

결과

3주간 3번의 30분 치료 후 그녀는 그녀가 장기간 동안 할 수 없었던, 그녀의 머리를 빗고 다리미질을 할 수 있을 뿐 아니라 빨래를 널 수도 있었다고 보고 할 수 있었다. 세달 후 그녀는 추적을 위해 다시 방문하였을 때 여전히 그녀가 원하는 모든 것을 할 수 있었다.

이론적 근거

우리의 일생을 거쳐서 통증을 최소화 하기 위한 목표로 습관을 발달시키기 때문에, 노화와 관련된 제한은 아주 흔하다. 종종 노인들은 나이가 문제라는 말을 듣지만, 이 문제의 많은 경우에서는 젊은 사람들에서 손상 받는-전체 가동범위의 부족과 다른 것이 없다.

이것은 그들에게 문제가 왜 발생하였는지를 이해시키고, STR로 그들이 정상의 통증 없는 운동으로 돌아가는 방법을 시작할 수 있도록 도와주는데 시간을 투자함으로써 어떻게 노인이 향상된 그들의 인생을 가질 수 있는지의 아주 좋은 예시이다.

사례 연구 3 - 뒤넙다리근(Hamstrings)

17세의 무용수는 3주 전 그녀가 다리 벌리기(leg-split) 자세에서 앞으로 발차기(front-kick) 운동으로 움직일 때 그녀의 뒤넙다리근이 손상되었다. 그때 뒤넙다리근의 이는 곳(origin)에 타박상이 있었다. 젊은 무용수로서 그녀는 2주 후에 시험이 있었기 때문에, 이에 대해 걱정했지만 그녀는 손상 때문에 시험을 볼 수 없을 것이라는 말을 들었다.

평가에서 이는 곳에서의 확실한 뒤넙다리근 손상이 확인되었지만, 문제는, 왜 이 부상이 발생했느냐? 이었다. 더 나아가, 어떻게 그녀가 시험을 치르도록 가능하게 할 수 있을까? 추가적인 평가에서, 그녀가 유연한 반면, 허리 근육, 볼기근 그리고 중간 뒤넙다리근에 제한이 있었다는 것이 밝혀졌다.

STR

뒤넙다리근에 그들의 전체 길이와 구성 근육들-반막모양근, 반힘줄모양근, 넙다리두갈래근, 각각을 따라 정확한 STR이 실행되었다. 추가로, 볼기근, 허리 척주세움근 그리고 허리네모근도 치료하였다. 그녀는 볼기근의 신장과 함께, 뒤넙다리근을 위한 앉은자세 STR 자가 치료 프로그램을 제공 받았다.

결과

그녀는 10일 동안 3번의 치료 시간을 가졌고, 그녀는 너무 힘들지 않게 일상적인 시도를 했고, 시험 4일 전에 다시 봤다. 그녀는 후에 시험을 치렀고 통과했다.

이론적 근거

많은 무용수들과 같이 그녀는 좋은 전반적인 유연성을 가졌지만, 제한이 되는 뚜렷한 부위가 있었다.

이런 경우, 극도의 빠른 움직임을 할 때, 허리골반 리듬이 이러한 제한에 의해 방해 받고, 그래서 스트레스가 가장 약한 부위, 즉 위쪽 뒤넙다리근과 그 이는 곳에 가해진다.

사례 연구 4 - 머리와 얼굴 통증

　　44세 남성이 편두통(migraine)으로 진단 받았고 머리와 얼굴 통증이 있었다. 평가와 병력 분석은 편두통의 진단을 위한 근거가 부족하다는 것이 제안되었다. 활동을 하는 동안과 한 후에 통증은 더 나빠지고, 주로 얼굴의 한쪽 방향, 왼쪽 눈 안쪽과 주변, 그리고 이마에 있었다. 이것은 특히 벤치프레스 또는 달리기를 한 후에 확연했다.

　　모든 머리, 목 그리고 견갑대 근육이 평가되었고, 비록 약간의 긴장(tightness)과 제한이 있었지만, 그것은 정상으로 간주되었다. 그러나, 목빗근(sternocleidomastoid)이 작용하면 즉시 편두통으로 진단받았던 통증이 다시 나타났다.

STR

　　일반적인 목과 어깨의 근육 긴장, 특히 목빗근에 초점을 맞추어서, 치료되었다. STR 자가 치료 프로그램이 또한 제공되었다.

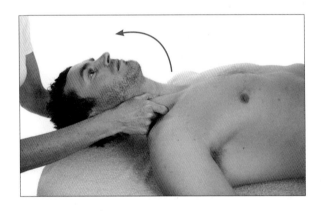 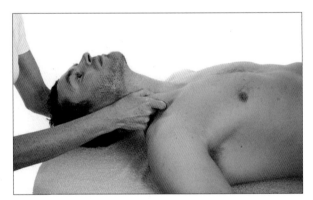

결과

　　수 년간 머리와 얼굴에 통증을 가져오면서, 남자는 자가 치료 프로그램과 함께, 6주간 세 번의 치료를 받은 후에 어떠한 문제도 없이 훈련과 달리기를 할 수 있었다.

이론적 근거

　　목과 머리의 근육으로부터 오는 방사통(referred pain)은 편두통(migraine)으로 가장 또는 증상을 '유발하는(triggering)' 과정의 한 부분으로 오랫동안 인식되어왔다. 목빗근은 단축되어 있는 경우, 스트레스를 받을 때는 편두통과 관련된 부위에 방사되었다.

사례 연구 5 - 아킬레스 힘줄병증(Achilles Tendinopathy)

1주일에 한번 35마일을 달리는 클럽의 10k 달리기 선수인 42세 여자는 심한 감기로 인해 10일간 달리기를 쉬어야 한다는 처방을 받았다. 훈련을 다시 시작하자 그녀는 뛰거나 걸을 동안에 그녀는 오른쪽 아킬레스에 통증을 느꼈고, 또한 아침에 첫 번째 통증을 느꼈다.

초기 조사에서 아래 다리의 운동에 뚜렷한 제한이 없었다. 하지만 오른쪽의 아래 다리의 근육에 촉진 하였을 때 경계부분이 딱딱했고, 가자미근과 세갈래근 사이의 근육힘줄 모서리(musculotendinous border)에서 명백한 울혈(congestion)이 있었다.

아킬레스는 또한 미미한 부종이 발견되었고 접촉에 압통(tender)이 있었다.

STR

모든 아래 다리 구획들이 치료되었고, 근육힘줄 이음부(musculotendinous junction) 그리고 세갈래근과 가자미근 사이의 모서리에 초점을 맞춰졌다.

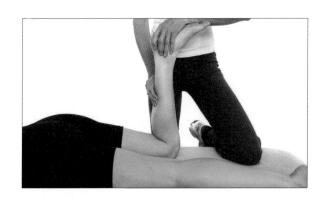

결과

환자는 걸을 때 즉각적인 통증 경감을 느꼈고, 다음날 통증을 느끼지 않고 달릴 수 있었다.

이론적 근거

종아리 복합체는 연부조직의 제한 때문에 그것의 최적의 상태로 기능하지 않았고, 이것의 비효율성은 아킬레스에 과도한 압력을 부과하였다. 운동이나 스트레칭으로부터 운동선수들의 휴식은 결과적으로 아킬레스에 영향을 미치는, 결합조직에 약간의 굳어짐을 야기시켰을 것이다. 비록 그녀가 아킬레스나 종아리에 어떤 문제도 인식하지 못했지만, 어떤 시점에 연부조직의 제한이 있었던 것 같다.

그녀는 STR 자가치료를 이용해 그녀의 종아리를 모니터링하면서, 훈련을 줄이도록 권고 받았다. 부종이 사라질 때까지 아킬레스에 냉찜질을 적용하는 것이 추천되었고 만약 통증이 다시 나타난다면 완전한 평가를 위해 보고해주기로 하였다.

사례 연구 6 - 서혜부 통증(Groin pain)

35세 미식축수선수는 슬라이딩 태클 후 서혜부 통증으로 6주 동안 고통 받고 있었다. 그는 서혜부에 날카로운 통증을 느껴서, 다시 경기를 할 수가 없었다. 이것은 하루동안 주기적으로 느꼈지만, 조깅 빠르기보다 빠른 달리기를 그가 시도하지 않는 한 실제적인 문제가 없었다. 그는 아무 치료도 받지 않았었다.

평가에서 그는 전반적으로 매우 뻣뻣함이 있었고, 특히 넙다리뒤근육과 모음근이 그러했다. 통증이 있는 쪽의 모음근들은 특히 더 짧았다; 이 근육들을 스트레칭하는 것이 그의 통증을 유발했지만 적은 강도였다. 이 부분에는 긴모음근에 이는 쪽으로 상처 조직(scar tissue)과 유착조직(adhesive tissue) 부위가 있었다.

STR

모든 모음근들은 천천히 최소한의 벌림으로 시작하면서 CTM 고정을 가볍게 적용하고, 근육들의 이는 곳과 섬유성 조직 부위를 강조하며 치료 되어졌다. 일반적으로 엉덩관절 근육구조물은 다뤄졌지만, 특히 엉덩관절 굽힘근과 아래쪽 허리가 치료되었다.

 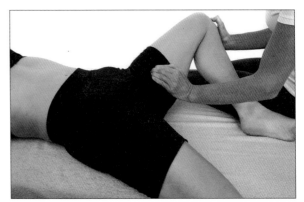

결과

환자는 모음근을 스트레칭으로 상당히 통증 경감을 느꼈고 엉덩관절이 "더 가볍게" 느꼈다. 그는 연부조직제한을 이완시키는 두번의 치료를 더 받고, 모음근의 길이를 반대쪽 다리와 맞추었다. 그의 증가된 유연성을 유지하기 위해서, 그는 STR 자가 치료와 스트레칭을 권고 받았다. 또한 나이가 들어서도 미식축구를 계속 할 수 있도록, 골반 균형에 도움을 주고, 코어근력 강화에 도움을 줄 수 있는 필라테스를 추천 받았다.

이론적 근거

긴모음근의 이는 곳 쪽으로 분명한 섬유성 조직 부위가 있었고, 아마도 초기 염좌(strain)에 의해 유발된 모음근의 조직 제한과 연관되었고, 이것이 그의 통증과 감소된 운동의 가장 큰 이유였다.